Agujero llamado Nevermore
(Selección poética, 1968-1992)

Letras Hispánicas

Leopoldo María Panero

Agujero llamado Nevermore
(Selección poética, 1968-1992)

Edición de Jenaro Talens

CATEDRA

LETRAS HISPANICAS

Ilustración de cubierta: Pablo del Barco

© Leopoldo María Panero
© Ediciones Cátedra, S. A., 1992
Telémaco, 43. 28027 Madrid
Depósito legal: M. 21.288-1992
I.S.B.N.: 84-376-1115-6
Printed in Spain
Impreso en Lavel
Los Llanos, nave 6. Humanes (Madrid)

De poesía y su(b)versión
(Reflexiones desde la escritura denotada «Leopoldo María Panero»)

¡Qué error ser yo, debajo de la luna!
L. M. P.

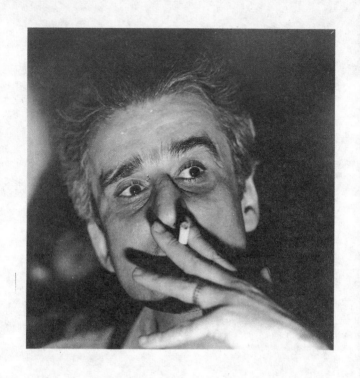

Leopoldo María Panero.

1. *Clasificar lo inclasificable*

Parafraseando una afirmación célebre en la historia literaria de la poesía española de este siglo, podríamos comenzar estas páginas diciendo que desde el punto de vista histórico, Leopoldo María Panero es un poeta que no ha tenido suerte. Nada más enunciada, sin embargo, dicha frase muestra su carácter contradictorio. En efecto, ¿qué significa «tener suerte»? y, sobre todo, ¿qué tiene que ver la historia literaria con la suerte? El azar que hace que una obra o un personaje encuentren una aceptación o un eco social o cultural en el momento y lugar apropiados para su éxito es un azar poco «azaroso». El entramado de discursos, intereses y poderes que constituyen lo que conocemos como «literatura» deja poco espacio para el azar. Cuando mucho, permite la circulación de aquellas formas de escritura que no pongan en cuestión los fundamentos mismos que permiten existir dicho entramado como institución. Las denomina «marginales» o de cualquier otra forma similar, y busca incluirlas como disfunción en el interior de un territorio que ofrece como «naturaleza» lo que nunca fue otra cosa que construcción cultural. Lo que no es recuperable desde alguna perspectiva para el mantenimiento de dichos fundamentos, queda fuera de circulación o, en el mejor de los casos, transita como excrecencia de la «imagen» social del escritor, no como escritura. Ése ha sido el caso de la poesía de Leopoldo María Panero. Cuando se habla de ella, lo que no suele suceder muy a menudo, no siempre resulta claro establecer la línea divisoria entre lo que se dice de los poe-

9

mas y lo que se afirma acerca de cuanto se presupone que éstos deben decir habida cuenta de las características del «personaje» que Panero ha acabado por estar condenado a representar. Su juego con el discurso de la locura, la etiqueta de «malditismo» que inevitablemente le acompaña desde su aparición en la escena pública, de forma voluntaria en sus inicios, de forma no tan voluntaria en los últimos años, han condicionado la aproximación a su poesía, ensombreciendo, cuando no borrando la carga de profundidad que su propuesta implica para la literatura como práctica social y como «imagen» institucional. Entre otras cosas, se lee desde presupuestos que poco o nada tienen que ver con los que sus poemas proponen como suyos. De ese modo su canonización como escritor importante dentro del panorama de la poesía actual en castellano —cualidad que, curiosamente, no le niegan ni sus más acérrimos enemigos— resulta una operación contradictoria. Por una parte, su nombre entra en las nóminas «oficiales» de poetas de las dos últimas décadas; por otra, lo hace para compartir unos valores cuya dinamitación constituye el caldo de cultivo de sus sucesivas entregas. Panero es así «el raro» dentro de una tradición a la que, de otro modo, difícilmente se le haría pertenecer. Clasificado y ubicado, parecería que lo subversivo pueda convertirse en simplemente transgresor y, en consecuencia, ser asimilado. Todo ello no es nuevo, por supuesto, sino que forma parte del modo histórico de existir de la literatura, pero, puesto que en este caso nos movemos en la más estricta contemporaneidad, tal vez no sea ocioso detenerse en el análisis de esta circunstancia como forma de entrar en lo que constituye la propuesta poética de Leopoldo María Panero.

2. *Los nuevos mandarines o de la imposible objetividad de la historia literaria*

Alguien dijo en una ocasión que la historia la hacen los pueblos pero la escriben los señores. Lo que allí se decía a propósito de la Historia en sentido lato podría aplicarse a cualquier discurso que pretenda historiar, esto es, *narrar,* el transcurso y desarrollo en el tiempo de una actividad humana. La Historia de la Literatura no es una excepción. En efecto, cuando se instituye como disciplina académica el estudio de los textos denominados literarios, dicha institucionalización no va tanto asociada al deseo de abordar analíticamente un patrimonio artístico y cultural, cuanto a la necesidad de cooperar a la constitución de una determinada forma de estructura política y social[1]. En una palabra, no se instituye para recuperar un pasado sino para ayudar a constituir y justificar un presente. La elección del «corpus» sobre el que operar; el establecimiento de los criterios que hiciesen coherente la inclusión/exclusión de obras y autores, así como la periodización y taxonomización del material no respondía, en consecuencia, a la existencia de una verdad exterior comprobable, sino a la voluntad de construir un referente a la medida, capaz de justificar la manera de vivir y pensar el mundo la sociedad presente, a la que arroparía con el argumento de su autoridad. Obviamente, siempre se habla desde algún lugar, teórico, ideológico —no puede ser de otro modo. Lo importante en este caso es que dicha normativa se estableció con pretensiones de objetividad y carácter «científico», de acuerdo con el sistema de valores subyacente a la clase que la hizo: el pensamiento ilustrado burgués.

Los criterios se articularon en torno a tres conceptos básicos: *a)* el valor de la tradición como modelo; *b)* la noción de «nacionalidad» y *c)* la asunción de que la historia tiene un sujeto central, de carácter individual.

Del primero deriva la aceptación del carácter *normativo* de la retórica clásica, que se transgrede o se invierte, pero nunca se discute, y la búsqueda incesante de una esencialidad consustancial al fenómeno literario; en una palabra, la elaboración de unos principios explicativos que pudiesen borrar de la práctica literaria las huellas de su historicidad.

---

[1] Véase Antonio Ramos-Gascón (1987), 79-101.

Del segundo lo hace la concepción de la historia de la literatura como correlato artístico de la historia política de una comunidad «nacional», en un momento en que, aunando la idea de nación y la de lengua en ella dominante, empiezan a surgir movimientos de liberación nacional. Ese correlato, instrumentalizado, cumplió un papel ideológico progresista en muchos casos (por ejemplo, en Latinoamérica), pero quedó, sin embargo, formalizado como premisa general de forma tan ambigua como equívoca. El caso de la Literatura española es paradigmático. Por una parte se funda en la idea de España como concepto unitario; por otra en el uso de una lengua, el castellano. En el primer caso se proyecta hacia el pasado un concepto que empieza a existir en sentido estricto con los Reyes Católicos. ¿Cómo hablar, en efecto, de Literatura Española medieval, si en la mal llamada Edad Media no existían en sentido estricto ni España ni lo que hoy entendemos por «literatura»? Y caso de existir, ¿por qué se reduce, casi de forma generalizada, a la práctica en castellano? En el segundo caso, es obvio que se eliminan las obras escritas en las otras lenguas, latín, hebreo, árabe, catalán, gallego, pero al mismo tiempo no se explica por qué deja fuera lo escrito en los países americanos de habla española. Si la cuestión estriba en la necesidad de articular lengua y estructura política, ¿por qué no se incluye en la literatura española la literatura colonial? Por otra parte, ¿qué es la llamada «Literatura Hispanoamericana» como concepto sino una invención de Menéndez y Pelayo, elaborada a partir de la idea indiscutida de Hispanidad? Más que una voluntad integradora, hay en la decisión de don Marcelino una actitud que tiende a neutralizar lo diferente y a interpretarlo desde un modelo de pensamiento articulado en torno a lo peninsular. Por lo demás, ya autores como Goethe habían enfatizado la concepción de lo que debería ser una *Weltliteratur* frente a lo que consideraban el reduccionismo propio del nacionalismo romántico[2].

---

[2] Véase Claudio Guillén (1971).

Del tercero deriva la tendencia, nunca discutida, a periodizar y abordar el fenómeno literario tomando como punto de referencia la noción de autor, en tanto propietario privado del sentido de los textos. El desplazamiento posterior del centro de interés hacia las nociones de «movimientos literarios», «escuelas» o «generaciones» no significó cambio epistemológico alguno, toda vez que el concepto de autoría individualizada sigue, aún hoy, funcionando como punto de articulación subyacente e ineludible. De esa forma puede abordarse el análisis de la Historia de la Literatura a partir de la consideración de quién es su «sujeto» (o sus sujetos), en lugar de centrarse en cuál fuese su «motor».

Lo importante, para nuestro propósito, es que todo este proceso histórico se ofrece a sí mismo como si hubiese surgido de forma natural, borrando así las implicaciones histórico-ideológicas concretas que hicieron posible el nacimiento de una metodología historizadora como la que nos ocupa, y que, más allá de toda lógica, sigue haciendo posible su utilización para definir un *corpus* explicativo. Al establecerse como materia de enseñanza en los planes de estudio de grado medio y en la Universidad la disciplina «Historia de la Literatura» cumple, en consecuencia, un papel ideológico que va más allá del mero análisis de obras y autores. Aceptar el modo en que se estudia y se enseña lo que entendemos por canon literario, implica aceptar también la existencia misma de dicho canon como algo cuya consistencia viene avalada por la fuerza de la tradición. Qué autores estudiar, cómo abordarlos y en torno a qué principios explicativos son cuestiones que la presencia indiscutida del canon deja de lado por innecesarias. No planteárselas, sin embargo, supone asumir la distorsión que sirve a aquél de base y fundamento epistemológico.

Es evidente que ello ha generado algo más que una costumbre, y que la resistencia a poner en cuestión la validez misma del canon tiene también sus bases económicas y profesionales. La aparición de la Historia de la Literatura como disciplina académica generó vías de especialización y profesionalización. Es comprensible aceptar que resultaría difícil, por ejemplo, disolver la noción de «generación del 98», la de «realismo» y «naturalismo» o la de «generación del 27» como conceptos operativos en la crítica académica —en el supuesto de que se considerase científicamente correcto— cuando hay tanta industria cultural y tantas personas dependiendo, incluso económicamente, de su misma existencia. Igualmente comprensible es el recelo con que las llamadas literaturas nacionales —o lo que es lo mismo, los Departamentos universitarios o las organizaciones investigadoras encargadas oficialmente de guardarlas, limpiarlas y darles esplendor— enfrentan la existencia de disciplinas como Teoría de la Literatura o Literatura Comparada; recelo que se une a la perplejidad cuando se trata de la inclusión, entre sus materias de interés, de los discursos audiovisuales. Más que discusiones epistemológicas los recelos parecen articularse en torno a la asunción de espacios propios y espacios que no lo son; y ya se sabe cuán importante es en nuestra civilización la máxima de «respetad los bienes ajenos». Pero esto es ya harina de otro costal.

En efecto, el canon es algo más que una forma de catalogar y clasificar la historia; fundamentalmente consiste en un modo de enfrentarse a la realidad y, por ende, de escribir (esto es, de rehacer) la historia. Está lejos de tener una presencia inmutable. La historia de la literatura, como disciplina académica, describe el hecho obvio de unas metamorfosis, pero no revela el entremado de los cambios ni, mucho menos, los motivos extratextuales que articulan su estructuración.

3. *Del miedo a lo contemporáneo como normativa académica*

Uno de los problemas que suelen retardar el inicio de la historización de la literatura contemporánea es el que remite a su cercanía en el tiempo y la supuesta «falta de perspectiva histórica» que necesariamente le acompaña. En efecto, durante muchos años, el dedicarse, como especialista, a periodos anteriores al siglo XX fue, al menos en España, casi una forma implícita de acceder al estatuto de profesionalidad exigible en el mundo universitario. Para muchos de los que nos iniciamos en la vida académica a finales de la década de los años 60 y principios de la siguiente fue casi una norma indiscutida el aceptar que el conocimiento de la Literatura Española sólo se demostraba siendo medievalista o estudioso de los Siglos de Oro. Quien elegía como campo de especialización la literatura posterior a 1900 había de hacérselo «perdonar» escribiendo, por ejemplo, algún artículo sobre los periodos citados. Lo contrario significaba arriesgarse a ser definido como «ensayista», «diletante» o «poco científico». Obviamente, la mayor abundancia de información existente *de facto* sobre etapas anteriores parecía ofrecer una mayor garantía, en tanto obligaba a los candidatos que aspiraban a detentar una cátedra universitaria a poseer una supuestamente mayor erudición. No resulta difícil concluir al respecto que, como ocurre a menudo en el discurso académico, se confundía sabiduría con saber y el conocimiento se medía, no tanto por la capacidad de análisis crítico sobre los textos cuanto por la cantidad de notas bibliográficas a pie de página que el candidato era capaz de incorporar a sus escritos. Lo dicho no representa, sin embargo, por mi parte un ataque a la presencia de la erudición. Muy al contrario, no creo que pueda hacerse discurso crítico alguno que no asuma un amplio dominio de las fuentes sobre las que se trabaja. No conozco el caso de ningún crítico o teórico que haya escrito algo de interés que no posea el bagaje que sólo el trabajo de archivo y biblioteca puede proporcionar. Sin embargo, desplazando el centro de articulación desde el aparato crítico-analítico hacia el campo de los materiales utilizados por él se realiza una doble mistificación enormemente peligrosa e improductiva:

1)   Por una parte se potencia un tipo de discurso que, en un extremo no tan absurdo como pudiera parecer, permitiría escribir una tesis doctoral sobre el *Quijote* sin ne-

cesidad de tomarse la molestia de leer la novela cervantina, con el solo andamiaje de las referencias a los textos críticos que dicen hablar de ella. En ese contexto, la teoría, o mejor, lo que se supone que debe ser entendido por tal, y como efecto secundario de lo anterior, parece tener que limitarse al terreno de las puras abstracciones conceptuales. De ahí la tradicional y aún vigente pugna entre historiadores (positivistas) de la literatura y teóricos (abstractos) del discurso literario. Unos y otros reclaman para el tipo de aproximación que asumen el carácter de «verdadero» y «científico». Sin embargo, entre un texto crítico basado en la acumulación de información y un texto teórico abstracto no existe gran diferencia. En ambos casos el supuesto objeto originador de su misma existencia resulta absolutamente prescindible.

2) Por otra parte se otorga a los datos empíricos un valor de verificación objetiva del que, en sentido estricto, carecen. En efecto, como tales datos, nunca remiten al mundo de los hechos sino al universo de las interpretaciones y, en consecuencia, su función no es tanto ayudar al análisis cuanto construirlo como corolario. Esta segunda mistificación es la que me importa comentar aquí por su incidencia en la problemática de la historización de la literatura contemporánea.

Si, en efecto, se considera que las obras actuales están demasiado cerca para permitirnos una cierta distancia histórica, se corre el riesgo de asumir, no ya la emergencia sino la asunción sin respuesta de comentarios, críticas, clasificaciones que en el momento de su nacimiento no se discuten sencillamente porque no se les concede estatuto de verdad, o simplemente porque se les ignora, pero que pocos años después, y por el mero hecho de existir como datos, clasificables en archivos e inscritos como entradas bibliográficas en repertorios informatizados, pueden convertirse en «fuentes» primarias para los futuros estudiosos e historiadores, sin que necesariamente se cuestione el sistema de valores, esto es la estructura ideológica y/o política que rodeó su nacimiento.

La historia reciente de la literatura española, en tanto en cuanto canon en vías de constitución en el mundo académico, ofrece ejemplos concretos donde abordar esta problemática. Por una parte, la memoria colectiva aún puede reconstruir y analizar el desarrollo de unos hechos cuya relativa cercanía cronológica permite corroborar las hipótesis; por otra, incluso la literatura producida por escritores tan recientes como los que integran la llamada «generación del 70», en la que se ubica Leopoldo María Panero, forma parte ya —siquiera sea en un pequeño grado— de las materias estudiadas en algunas Universidades, e incluso aparece en textos y manuales de bachillerato. Esta doble situación permite comprobar hasta qué punto el canon en vías de constitución funda sus raíces en un corpus ya expurgado, clasificado y casi definido a partir de criterios que poco o nada tienen que ver con la literatura, aunque sí, y bastante, con el discurso publicitario.

Uno de dichos ejemplos lo constituye el denominado «boom» de la novela hispanoamericana. En principio se trataba de una operación comercial tan lúcida como inteligente, realizada desde Barcelona por uno de los más brillantes poetas y editores de la España contemporánea, Carlos Barral, cuando dirigía una de las casas editoras de mayor influencia en el campo hispánico, Seix-Barral. Con ella se introducían en el mercado español y, posteriormente, europeo —a través de los contactos y acuerdos que posibilitaron, por ejemplo la creación del premio Formentor, o la concesión de un premio europeo compartido en 1961 a Samuel Beckett y Jorge Luis Borges—, una serie de nombres nuevos cuya calidad escritural nadie pone hoy en duda, que de otra forma posiblemente habrían tardado años en traspasar los límites del mundo de los *connaisseurs* hasta convertirse en *best-sellers*.

El problema, desde la perspectiva que nos ocupa, no radicó en la brillante maniobra editorial de Carlos Barral, sino en el hecho de que la crítica académica asumiese su producto como nómina-modelo desde la que juzgar el trabajo literario de todo un continente hasta entonces bastante poco conocido del gran público. Los estudios, tesis doctorales y análisis detallados de las obras de sus componentes oficiales alcanzaron en pocos años un número extraordinario, relegando a un inmerecido segundo plano nombres y obras en muchos casos de superior calidad a las pertenecientes al «boom». No es de extrañar que cuando el tema de la novela hispanoamericana se incorporase a los planes de estudio de los cursos de acceso a la Universidad en España, por ejemplo, los libros seleccionados oficialmente para su enseñanza, como representantes máximos, pertenecieran a dicha nómina. Un estudio particularizado de la historia de la constitución del área de Literatura Latinoamericana en los Departamentos de Español o de Romance o Foreign Languages en EE. UU. permitiría comprobar hasta qué punto fue el éxito comercial y publicitario del «boom» el que, más que favorecer, estructuró y centralizó en muchos casos las líneas de los nuevos *curricula*.

El problema historiográfico que este mecanismo representa es particularmente grave, porque incluso cuando muchos juicios apresurados sean corregidos y algunos nombres injustamente silenciados se incorporen con posterioridad al relato histórico de la literatura, rara vez sucede que dichos cambios modifiquen de manera global el marco genérico donde se insertan, al menos, de manera más o menos inmediata.

Cuando en 1960, por citar un ejemplo, se publicaba en Barcelona la antología de José María Castellet *Veinte años de poesía española (1939-1959)* algunos nombres fueron eliminados por razones no estrictamente «literarias». Tal fue el caso de Alfonso Costafreda, como honestamente ha reconocido años más tarde Jaime Gil de Biedma [1974], inductor del desaguisado. El hecho es conocido; sin embargo, ello no ha llevado a rectificar la posición de Costafreda en las historias canónicas, donde pocas veces es ni siquiera citado, pese a que su obra sea, cuando menos, de igual calidad a las de sus compañeros de generación. Perdido el carro publicitario generacional, rara vez se le dedica espacio específico frente a otros poetas cuyo mayor apoyo bibliográfico vuelve su obra más asequible para la explicación de clase[3].

Otro ejemplo podemos encontrarlo en los casos de algunas antologías publicadas en otras lenguas para dar a conocer, a través de los departamentos hispánicos o de las editoriales especializadas, un panorama de la poesía de la generación del 70. Cuando la casa editora italiana Einaudi decidió dedicar un volumen a la nueva poesía española eligió el libro de José María Castellet, *Nueve novísimos poetas españoles*. Al margen del carácter no necesariamente representativo del panorama global de la poesía española (entonces) nueva, que el libro tenía por la fecha de su versión italiana (1976), lo digno de subrayar es que apareció como si se tratase de una traducción del libro original, sin que en ninguna parte se indicara ni se explicase por qué habían desaparecido de la nómina cuatro de los nueve nombres inicialmente integrantes de la selección. Quién y por qué razones filtró la información de manera tan abiertamente parcial no parece haber despertado problema historiográfico alguno entre la crítica especializada del país vecino. Otro tanto podría afirmarse de las antologías posteriores de Emilio Coco al italiano o de Ricardo Bada al alemán, trabajos meritorios que, sin embargo, eludían explicar por qué vías el sistema de inclusión/exclusión había canalizado y articulado una información que se presentaba a sí misma como surgida de una decantación objetiva.

No siempre, sin embargo, la manipulación del objeto historiado es de esta índole. A veces puede adoptar otra forma más sutil: la sobreabundancia bibliográfica. Pensemos, por ejemplo, en la enorme cantidad de textos producidos en el hispanismo de los años 40 y 50 en torno al Quijote. En casi todos los trabajos se aborda a los personajes de la novela cervantina desde los más diversos án-

---

[3] Véanse los, por otra parte, excelentes trabajos de Philip Silver (1986) y Andrew P. Debicki (1982). En ellos los análisis de los poetas parten ya de su inclusión en una organización generacional cuyas características definitorias se ofrecen como claras e indiscutibles.

gulos. Muy pocos, sin embargo, se centran en el hecho de que sean personajes, esto es, soportes ficcionales sobre los que elaborar un discurso, único sujeto hablante en sentido estricto. Así, por ejemplo, Cervantes (entendiendo por tal tanto el sujeto histórico como el sujeto de la enunciación que asume socialmente su nombre a través de la firma) y los personajes de sus novelas se entremezclan en un ambiguo *ménage à plusieurs,* donde cada uno de los niveles discursivos parece ser intercambiable con los demás. El efecto de realidad en que dicho procedimiento analítico se fundamenta disuelve la historicidad que implica inscribir en un texto —la escritura cervantina— un punto de vista como dispositivo de distanciamiento crítico respecto a lo que explícitamente sus enunciados parecen afirmar. Desde ahí se entiende la correspondencia que hay entre la proliferación de material erudito sobre la novela y el poco valor otorgado a su teatro, por ejemplo, frente a Lope. Entre ambos hechos existe una gran coherencia: esa forma de historiar y canonizar a los autores sólo se explica desde un dispositivo común que asume lo argumental como base y reduce el trabajo sobre esos materiales al estatuto de mero oficio técnico de orfebre. En una palabra, la obra de Cervantes podía representar la «grandeza» española en la época imperial, en vez de proponer, como es el caso, su «puesta en escena» crítica. Este procedimiento puede disolver la huella de la historicidad de una escritura a fuerza de multiplicar su presencia como «imagen-objeto de culto» y no como «proceso-construcción de sentido». En gran medida el caso ocurrido en España con la obra de Luis Cernuda, uno de los nombres clave para entender la ceremonia de la confusión que envuelve a la poesía de la llamada generación de 1970.

4. *Birds in the Night*

Luis Cernuda moría en 1963 en olor de marginalidad. Para alguien que hizo siempre de su obra la excrecencia escrita de una ética consecuente e insobornable, el reconocimiento público generalizado no llegaría a tiempo de poder ser gozado en vida. Con la casi sola excepción del homenaje que Jacobo Muñoz capitaneó en la revista valenciana *La Caña Gris* (1962) los estudios y trabajos que asumieran el papel capital de su producción en la historia de la poesía española de las últimas cuatro décadas no empezarían a multiplicarse hasta bastantes años después. Hoy nadie discute el papel de su figura y su huella puede rastrearse en la obra de gran parte de los poetas más jóvenes; poetas que, como aquellos otros hacían con Rimbaud en el conocido texto cernudiano, «hablan mucho de él en sus provincias» (no tanto geográficas cuanto culturales).

Sin embargo, la complejidad de la escritura cernudiana, los diversos niveles —estéticos, ideológicos, políticos— que implica, se ve muchas veces simplificada en la imagen que de ella dan quienes reivindican su magisterio. Lo que se inscribe como marca en la producción de gran parte de la poesía actual es, en consecuencia, un mínimo aspecto, casi siempre unilateral y repetitivo, de un discurso textual mucho más rico y amplio.

Cada generación, o grupo generacional, o cualesquiera sea el nombre que usemos, reescribe su propia tradición, redistribuye los parámetros que definen su marco referencial y de esa manera construye un espacio donde inscribirse a su comodidad. Es indiferente que dicho trabajo lo hagan los llamados miembros constituyentes o lo haga la crítica, especializada o no, con o sin la ayuda de aquéllos. Lo que importa es que definir un pasado es la mejor forma de delimitar el lugar de una herencia, aunque sea para negarla. Nada de ello resulta novedoso ni extraño. En cualquier caso, no parece legítimo condenar —¿en nombre de qué?, por otra parte— el que un grupo, o una crítica a través suyo, busque para sí un lugar propio bajo el sol. Lo que ya no resulta tan evidente ni aceptable es que ese proceso, que podríamos denominar «de falsificación histórica parcial razonable», pretenda ocultarse bajo la máscara de la objetividad. En literatura, como en historia o en la vida cotidiana, no son posibles lecturas no tendenciosas. Lo que ocurre es que lo que se suele definir como *discurso tendencioso* siempre remite a un marco teórico —político e ideológico— determinado y deja fuera otros. Así, por ejemplo, una lectura materialista, es decir, política, sería tendenciosa según esa taxonomía reductora y moralizante; por el contrario, una lectura «no-política» sería más «verdadera», es decir, no tendenciosa, por cuanto evitaría someterse a otras directrices que no fueran las de la verdad «objetiva». Que esa verdad no venga precisamente del cielo parece ser otra cuestión. Lo único que cabe asumir, por ello, es respecto a qué se toma una posición tendenciosa, es decir, desde dónde se realiza la operación de leer, para qué y para quién o quiénes.

Derek Harris [1979] ha resumido lo que podría ser la trayectoria crítica sobre Cernuda en torno a varios ejes que harían girar sobre un aspecto u otro el peso fundamental de su argumentación. Dos son los que me interesa traer a colación aquí: el eje «pastoril-mitológico» y el eje «ético». En el primer grupo se incluirían los trabajos fundacionales de Elisabeth Müller y Philip Silver, entre otros; en el segundo lo harían las aportaciones del propio Harris, Octavio Paz, Francisco Brines, etc.

En esa división, que asumiría mi propio trabajo [1975] como integrado en el primer bloque, subyace la confusión entre dos concepciones alternativas del hecho poético, las mismas en que quiero basarme ahora para abordar el problema que nos ocupa: la que enfrenta —y ya lo hizo públicamente en la década de 1950— la idea de «poesía como comunicación» y «poesía como conocimiento». En efecto, en mi libro no se trataba tanto de buscar el carácter mitológico del personaje «Luis Cernuda» —construido no sólo a lo largo del libro *La Realidad y el Deseo*, sino a través de *Ocnos* y *Variaciones sobre tema mexicano*, en tanto partes integrantes, simbólicamente hablando, de aquél—, cuanto de analizar el proceso de explicación de su inutilidad como vehículo de salvación. El carácter de expresión «personal» era en Cernuda, de acuerdo con esa lectura, un recurso retórico, esto es, un procedimiento para producir efecto de verosimilitud, nunca la inscripción de una posible «verdad» experiencial, que si accede al poema es por vía negativa, como síntoma, nunca como argumento, y que, por tanto, no puede actuar como material comunicable —esto es, con existencia previa a su formulación— sino, en todo caso, como excrecencia legible *a posteriori*.

Desde esta perspectiva la aventura poética cernudiana sería una aventura de conocimiento, que si termina en fracaso lo hace en tanto no trasmite lo que sabe sino que deja hablar a aquello que ignora. El dispositivo que regula su funcionamiento sería la búsqueda de algo que sólo existe, como construcción, al final del camino. Es ésta una posición estética de la que el propio Cernuda era consciente. Baste citar como testimonio dos ejemplos, uno su referencia (en *Historial de un libro*) al proceso de escritura como semejante al de enseñanza: se acompaña al alumno a lo largo del camino y se le deja sólo ante el resultado, que él deberá construir; el otro lo explicitaría la dureza con que juzgó el carácter de *construcción a priori* que para él mostraba la obra de Vicente Aleixandre —quizá el más firme defensor de la teoría de la poesía como comunicación, elaborada por Bousoño en 1952 a partir, fundamentalmente, de la propia obra aleixandrina como referente— con posterioridad a *Sombra del paraíso*.

El brillante utillaje verbal del autor de *Pasión de la tierra* fue, por ello, quizá, contradictoriamente usado para contrarrestar unas propuestas que Cernuda nunca hizo suyas pero que a finales de la década de los años 60 llevaban su nombre.

En efecto, en torno a 1968, en plena eclosión de la que luego sería llamada «estética novísima» —término proveniente de una incorrecta lectura de lo que había significado en la poesía europea la aparición de *I novissimi* de Alfredo Giuliani—, una forma de descalificación estética era llamar a un poeta «cernudiano». Con ello parecía indicarse una postura confesional respecto a la escritura, es decir, la concepción del poema como relato más o menos explícito de una experiencia vivida y un carácter supuestamente directo en la expresión de ese relato.

Frente a ello se enarbolaba una concepción aparentemente alternativa, en la que el nombre del poeta sevillano como referencia cedía su puesto a los de Darío, Aleixandre, Lorca —entre los españoles—, Pound, Stevens y algún otro, entre los extranjeros.

Creo que en uno y otro caso la referencia se hacía más a determinados recursos retóricos, léxicos o superficialmente formales que a la concepción de escritura subyacente en cada caso citado. Por ello la reivindicación cernudiana acaecida inmediatamente después, ya en los primeros años de la década de 1970, no supondría, de hecho, un cambio de planteamiento global sino el triunfo de quienes luchaban por hacer volver las aguas a su cauce «natural», el de toda la vida.

En efecto, si el supuesto «cernudianismo» lanzado como objeto contundente contra cierto tipo de poesía dominante en los años 60 parecía indicar un enfrentamiento entre los representantes de la llamada generación del 50 y los «novísimos», enfrentamiento que había tenido una función táctica de provocación publicitaria, lo cierto es que se basaba en un triple reduccionismo: 1) por una parte entender que la generación del 50 era un bloque homogéneo; 2) en segundo lugar, que la reivindicación hecha de Cernuda desde ese grupo se hacía bajo unas coordenadas comunes y con argumentos compartidos; 3) por último, lo que resultaba más lógico y comprensible, que la entonces «joven poesía» formaba también a su vez, un bloque unitario.

Si dejamos de lado el sobrevalorado papel representado por el grupo «Cántico» —cuya incidencia histórica, al margen del interés mayor o menor que pueda tener la obra individual de sus miembros, en cuya valoración no entro ahora, es más una elaboración *a posteriori* de Guillermo Carnero [1976] que un dato historiográfico—, la reivindicación cernudiana por parte de la generación del 50 se centra, de modo programático, en el número homenaje, ya citado, de *La Caña Gris*. En él colaboran Francisco Brines, José Ángel Valente y Jaime Gil de Biedma, entre otros. Me interesa centrarme particularmente en el caso de los tres poetas citados por cuanto sintomatizan las divergencias de planteamiento en lo que aparentaba ser una recuperación homogénea.

Francisco Brines aborda en su trabajo («Ante unas poesías completas») la lectura del texto cernudiano en relación con lo que los poemas manifiestan de la vida del hombre que los compuso. Con el rigor y la claridad expositiva que le caracterizan, Brines describe el proceso temporal que atraviesa *La Realidad y el Deseo* en tanto contenido autobiográfico comunicado al lector. El punto de articulación de su lectura se centra, pues, en la noción básica de *poesía como comunicación,* en la que por lo demás siempre se ha basado la escritura brinesiana. Valente —que por las mismas fechas redacta el texto que habría de servir como prólogo a su propia poesía en la antología *Poesía última,* de Francisco Ribes, «Conocimiento y comunicación», en torno a la noción de *poesía como conocimiento*— interviene en el homenaje con un trabajo donde analiza la relación existente entre la poesía cernudiana y la tradición de los metafísicos ingleses del siglo XVIII, «Luis Cernuda y la poesía de la meditación». Por su parte Jaime Gil de Biedma («El ejemplo de Luis Cernuda») lo aborda desde la perspectiva ética y hace hincapié en la coherencia y persistencia de sus ideas y de su posición en tanto figura pública de escritor.

Si analizamos estas tres intervenciones con detenimiento, y dejando al margen la pertinencia y necesidad que pudiesen tener en su momento cada una de ellas, veremos que el referente fundamental en Brines y Biedma es el escritor, mientras que en Valente lo es la escritura. Esta oposición es en el fondo la misma que enfrenta las nociones de poesía como comunicación —se presupone un *antes* ya existente para que pueda ser comunicado más tarde— y poesía como conocimiento, respectivamente. Podría argüirse que también Gil de Biedma intervino por escrito en la polémica, junto a Carlos Barral, en favor de esta última noción, pero, como ha anotado Carmen Riera en su libro *La escuela de Barcelona,* las razones no se movían en su caso en torno a una cuestión de orden epistemológico, como en Valente, o incluso en Barral, sino de estrategia promocional. La trayectoria poética de su autor, aun subrayando su descreencia en lo autobiográfico, gira en torno a la idea de la posibilidad del poema como trasmisión/comunicación de una experiencia previa —real o ficticia es para el caso indiferente— y exterior al poema.

De hecho, pues, se trataba de la reivindicación de dos Cernudas distintos y desde dos propuestas escriturales en gran medida irreductibles la una a la otra. Que ambas se viesen como una sola es otra historia, y, por supuesto, no gratuita. La puesta en cuestión del discurso poético como expresión de una vivencialidad y el cuestionamiento subsiguiente de la posibilidad de una escritura «personal» que atraviesa, en mi opinión, *La Realidad y el Deseo* —ésa era la tesis mantenida en mi libro *El espacio y las máscaras*— quedaba así relegada a un plano secundario, en beneficio de una lectura más acorde con lo que se quería, no ya modelo dominante, sino único de entender la práctica de la poesía. Por ello mismo el «anticernudianismo» militante de la primera hornada «novísima» fue aceptado públicamente de manera tan tensa y polémica. Por una parte Cernuda no podía ser reducido a la imagen que de él se daba desde una estética determinada, por otra, lo que muchos de los nuevos poetas planteaban no podía tampoco ser reducido a un problema de Venecias en ruinas o de Príncipes contemplando el deterioro de las cornamusas sobre el cadáver incorrupto de sus antepasados. Honestamente no creo que escrituras como las de Vázquez Montalbán, Félix de Azúa, Martínez Sarrión o Leopoldo María Panero, entre los «bendecidos» como miembros fundacionales de la generación, o de Ferrer Lerín, Eduardo Hervás, Aníbal Núñez, Andrés Sánchez-Robayna, entre los *outsiders,* ni las de Pedro y (Pere) Gimferrer, responsable histórico de la etiqueta, pudiesen ser reducidas de forma tan simple.

La recuperación oficial de Cernuda en los años 70 va a ir, pues, asociada a la «normalización» de la propuesta «novísima», al hacerla entrar dentro de los cauces de una tradición que sólo en apariencia se habría roto. El fuego se abriría con un texto en *Ínsula* firmado por Francisco Brines [1973] sobre un poema de *Dibujo de la muerte* de Guillermo Carnero, cuando ya éste había dado a la imprenta otros libros, no tan fácilmente recuperables, al menos en apariencia, desde la misma estética. A ello seguirían otro trabajo del mismo Brines [1979], también en *Ínsula,* sobre Luis Antonio de Villena y los sucesivos prólogos a las poesías completas de este último y de Antonio Colinas por José Olivio Jiménez —posiblemente el teórico y el historiador más importante de la estética a que nos estamos refiriendo—, en 1983 y 1982, respectivamente[4]. La publicitación de estos dos últimos poetas no deja de ser significativa si se la relaciona con el silencio sistemático con que se han ido recibiendo los sucesivos libros de Leopoldo María Panero, cuya escritura no resulta tan fácilmente recuperable desde los parámetros normativos oficiales.

La publicación hace algunos años por la Universidad de Sevilla de un volumen sobre Cernuda reuniendo tres nombres no por azar representativos de tres sucesivas generaciones —Juan Gil Albert, Jaime Gil de Biedma y Luis Antonio de Villena—, debe ser inscrito en ese contexto. Marcando una especie de línea en continuidad no sólo se entronizaba una tipología de voz, sobre el silencio forzado de otras voces de las que, oficialmente, se ignoraba incluso su misma existencia, sino que se reducía el objeto que sirve de lazo de unión— el texto cernudiano, en este caso— a los parámetros desde donde se le buscaba «recuperar».

Una visión de Cernuda como dandy, decadente y fustigador de la moral imperante puede ser al mismo tiempo una descripción realista y una forma —como siempre que el realismo anda por medio— de falsear las cosas. El dandysmo ha servido de excusa para recuperar a Wilde

---

4 Véase José Olivio Jiménez (1982 y 1983). Este autor es uno de los que con mayor rigor y precisión coadyuvó a formalizar históricamente el concepto de generación del 50 a partir de conceptos explícitamente formulados en sus trabajos de 1970 y 1972.

y ahora parece servir para hacer otro tanto con Cernuda. Quizá valga la pena recordar que la radicalidad de una propuesta, sea ésta literaria o vital, se mide por su valor de uso, y no por su valor de cambio. Wilde, a causa de sus posiciones radicales en el marco de una sociedad como la victoriana y de la lógica con que las mantuvo, acabó en la cárcel; Cernuda pagó con el exilio y la marginación social y cultural una idéntica coherencia ideológica y política. Hoy, «como pasa en el mundo, vida al margen de todo...», reivindicar ambas obras puede incluso proporcionar un cierto *pedigree*.

Si el cambio histórico en el conjunto de hábitos de una sociedad supone asumir la no necesidad de unas actitudes, al haber desaparecido las razones externas que las hicieron posibles y deseables, recuperar un autor otorgándole el estatuto de clásico sería un acto no sólo de justicia sino una forma pública de certificar que dicho cambio ha tenido lugar.

5. *De la publicidad considerada como una de las Bellas Artes: la «generación de 1970»*

El caso citado nos lleva directamente al problema de fondo que subyace a la historiografía literaria de los últimos veinte años en general, y a la lectura de Leopoldo María Panero en particular: el de construir el relato de los hechos no a partir del conocimiento de los textos —unos textos cuyo volumen hace prácticamente imposible controlar de modo directo la información—, sino a través de la selección realizada mediante un discurso abiertamente publicitario convencional.

José Luis Falcó [1981 y 1986] ha mostrado cómo la periodización de la poesía española es castellano posterior a 1939 cambia sus parámetros si las fuentes documentales que sirven de referencia empiezan a tomar en consideración los casi tres centenares de antologías realizadas durante el periodo. En efecto, si analizamos las que refieren a la nómina de poetas denominados «generación de

1970», veremos que tanto las características definitorias como las líneas dominantes y los nombres representativos van cambiando de una a otra según sea el explícito —o la mayoría de las veces implícito— argumento usado por el antólogo para su trabajo.

En 1967 aparece en Madrid *Antología de la joven poesía española* de Enrique Martín Pardo. José Batlló publica, también en 1967, *Doce poetas jóvenes españoles,* y en 1968 *Nueva poesía española.* Mientras esta última trata de ofrecer un panorama partiendo de las premisas de la generación realista, aunque incluya como muestras de lo nuevo, y a manera de extensión, textos de Manuel Vázquez Montalbán, José-Miguel Ullán y Pedro Gimferrer, las dos primeras se centran principalmente en los jóvenes poetas[5]. Ambas, de escasa difusión en su momento y casi nula repercusión crítica, no acabaron de construir la imagen de que una nueva generación estaba naciendo. En esos momentos algunos de los nombres considerados más tarde como fundamentales de la generación de 1970 ya han publicado sus primeros libros: José-Miguel Ullán, *Amor peninsular* (1965); Pedro Gimferrer, *Arde el mar* (1966) y *La muerte en Beverly Hills* (1968); Vázquez Montalbán, *Una educación sentimental* (1967); Antonio Martínez Sarrión, *Teatro de operaciones* (1967); Guillermo Carnero, *Dibujo de la muerte* (1967); Antonio Colinas, *Preludios a una noche total* (1968); Marcos-Ricardo Barnatán, *Los pasos perdidos* (1968), Félix de Azúa, *Cepo para nutria* (1968), etc. Ninguno de ellos, sin embargo, con la excepción, quizá, de Váquez Montalbán, Ullán y Gimferrer, tienen demasiada resonancia en un contexto dominado por la presencia de los libros capitales de los poetas de la generación del 50, publicados en torno a esos años: Claudio Rodríguez (*Alianza y condena,* 1965), José-Ángel Valente (*La memoria y los signos,* 1966); Jaime Gil de Biedma (*Moralidades,* 1966); Francisco Brines (*Palabras a la oscuridad,* 1966), Ángel González (*Tratado de urbanismo,* 1967).

---

[5] En la primera aparecían 28 poetas, hasta ahora, la nómina más extensa ofrecida en una antología de esta generación.

Es entonces cuando, en 1970, se produce la eclosión publicitaria generacional. Carlos Barral, siguiendo pautas similares a las utilizadas para configurar la generación realista con la publicación de *Veinte años de poesía española*, publica en su nueva editorial, Barral editores, un nuevo libro del mismo antólogo, José María Castellet. Ese libro, titulado *Nueve novísimos poetas españoles* apareció en el mercado en la primera de 1970. Si se lee con detenimiento el prólogo firmado por Castellet, puede comprobarse que la intención fundamental que guía sus estructuras es la de adelantar una serie de hipótesis a partir de un conocimiento bastante precario del material existente en la época; precariedad que el antólogo honestamente subraya y explicita. La razón era bastante obvia: por primera vez una antología se realizaba con anterioridad a la aparición pública de muchos de los nombres incluidos en su nómina, como propuesta de futuro en vez de como selección sobre el trabajo realizado con anterioridad. La especial capacidad del autor, tantas veces demostrada previamente, le permitía percibir los nuevos vientos que se avecinaban, pero no cayó en la tentación de intentar definir una colectividad en gran parte desconocida en tanto mayoritariamente inédita. Las características anotadas por él, con todo lo que, desde la perspectiva actual tengan de equívocas, eran más o menos aplicables a los textos incluidos en la antología y no pretendían mucho más. Puede afirmarse, por tanto, que los dislates que con posterioridad se le achacan no son, en estricta justicia, responsabilidad suya, sino producto del uso social y publicitario que se hizo con sus propuestas. Si el nombre del antólogo no hubiera sido el que es ni la casa editora la que fue, posiblemente el carácter canónico que ha acompañado al libro durante todos estos años no habría existido. Es en el carácter de punto de referencia otorgado a su aparición y en la serie de réplicas y contrarréplicas que provocó donde hay que buscar el verdadero motor del fenómeno canonizador que conocemos como «novísimos».

En efecto, pocos meses después de su publicación aparecía en Madrid una nueva antología de Martín Pardo,

Nueva poesía española, manteniendo los nombres de Pedro Gimferrer y Guillermo Carnero y añadiendo los de Antonio Colinas, Jaime Siles, Antonio Carvajal y José Luis Jover[6]. El carácter de rectificación parcial que explícitamente asumía, respondiendo a una propuesta canonizadora que, en sentido estricto, nunca existió, llevó la discusión al resbaladizo terreno de los *nombres* en lugar de centrarse en el análisis de las *propuestas de escritura.* No deja de ser significativo, en ese sentido, el que los planteamientos más radicales, ideológica y políticamente hablando, Vázquez Montalbán y Leopoldo María Panero —por citar dos ejemplos extremos, y haciendo abstracción ahora de sus diferencias— desaparecieran de la nueva selección. Con ello se empezaba a definir la poesía de la generación emergente desde planteamientos y con características más acordes a los gustos dominantes y, en consecuencia, más asimilables por la crítica establecida.

El problema, sin embargo, no radicaba tanto en los textos de los poetas incluidos sino en la concepción subyacente a la estructuración del volumen donde se insertaban, que desplazaba lo problemático desde lo *fundamental* —la escritura— a lo *anecdótico* —los temas y el utillaje retórico. Desde esa forma de entender el problema, el uso

---

6 En su reciente reedición de la antología, con el añadido de una segunda parte que recoge una muestra de la producción de sus componentes veinte años después, [*Nueva poesía española (1970). Antología consolidada (1990),* Madrid, Hiperión, 1990] Martín Pardo cuenta que su libro ya estaba editado antes de la aparición de *Nueve novísimos poetas españoles* y que por presiones de distribución, no salió a la venta hasta mucho después. No voy a entrar en polémicas, porque es posible que como dato, sea cierto. No lo es tanto, sin embargo, lo que parece desprenderse de dicha constatación, esto es, que ese libro surgiera al margen de la antología de Castellet. La existencia de un proyecto catalán, así como su posible contenido, era conocido, al menos, desde el otoño de 1969, y los intentos de darle alternativas no se limitaron a la antología de Martín Pardo. También desde Granada, Carlos Villarreal negociaba utilizar el centenario de Bécquer —como antaño se hiciera con el de Góngora— para articular una generación. Se preparó incluso una encuesta sobre el poeta sevillano que luego aparecería en la revista *Ínsula.* La antología de Castellet acabó llevándose, como se dice, el gato al agua. Ello no significa, con todo, que las demás propuestas fuesen más inocentes ni objetivas.

político, por ejemplo, de Concha Piquer en la poesía de Vázquez Montalbán podía ser recuperado como manifestación de un cierto gusto por lo *camp* y la cultura del *kitsch*. Peter Pan o El Llanero Solitario, presentes en los poemas de Leopoldo María Panero como inscripciones sintomáticas de una cierta escritura de la crueldad, podían ser incorporados al catálogo de temas «culturalistas» y/o mass mediáticos.

Cuando un año más tarde aparece *Espejo del amor y de la muerte,* de Antonio Prieto, con prólogo de Vicente Aleixandre, el desplazamiento epistemológico es ya evidente. En este volumen se erigía en principio estético lo más secundario y prescindible de las dos antologías anteriores: la cita culta, el decadentismo y la escenografía. Del sentido trágico que subyace, por ejemplo, en el libro *Dibujo de la muerte* de Guillermo Carnero —uno de los textos más aparentemente cercanos a su estética— sólo perdura el maquillaje externo, usado ahora como tal maquillaje, sin sombra de la funcionalidad que cumplía en aquél. El canon clasificatorio es ahora definitivo.

En efecto, ni *Poetas españoles postcontemporáneos* de José Batlló ni *Nueve poetas del resurgimiento* de Víctor Pozanco alteran el panorama. Ambos libros añaden nuevos nombres y, en el caso del segundo, buscan justificar la inclusión de los que integran su nómina desde planteamientos bastante confusos que no consiguen articularse en propuesta alternativa coherente. Ninguna de las dos, sin embargo, pudo cuestionar los principios oficialmente definidores de la generación. *Joven poesía española,* de Rosa María Pereda y Concepción García del Moral, publicada por Ediciones Cátedra en 1978 certificará, desde el peso académico de la colección donde se inserta —*Letras Hispánicas*—, la validez de unos argumentos historizadores nacidos a medio camino entre el azar, las tertulias de café, las relaciones amistosas y la legítima voluntad de autopromoción de colectivos determinados.

Por otra parte, ni los trabajos posteriores de Fanny Rubio y José Luis Falcó [1981], por una parte, y de G. Solner [1981] (un fantasmático hispanista norteamericano de cuya existencia real no se poseen demasiados datos), ni el más reciente de Mari Pepa Palomero [1987] han ayudado mucho a clarificar las cosas. Los primeros por el carácter de libro de texto que posee su antología, pensando con otros objetivos y obligado a pasar rápidamente sobre cada periodo para cubrir un amplio arco cronológico; el segundo por cuanto se limita a antologizar sin demasiado criterio a autores fundamentalmente aparecidos en la colección donde la antología se inserta con algún pequeño añadido; el último por la prisa, superficialidad y poco rigor analítico con que hilvana en el prólogo el estudio de una selección que prometía, dada su mayor amplitud numérica y su explícita voluntad de abrir el espectro, ser algo más sustancioso. Por otra parte, la inclusión, en esta última, de una casi exhaustiva referencia a los libros publicados en los últimos veinte años hace más evidente la falta de un criterio que justifique por qué algunos nombres aparecen y otros no.

Juan Manuel Rozas desde las páginas del diario *El País* saludó la aparición del libro de Pereda y García del Moral con un artículo titulado «los novísimos a la cátedra». Lo que, por parte de uno de los más cualificados conocedores de la escritura poética española del siglo xx, y desde una plataforma de enorme influencia publicitaria, fue sin duda un amistoso, a la vez que irónico, gesto de apoyo a los nuevos poetas recién canonizados ha resultado ser una premonición. Muchos de los manuales de enseñanza media y bastantes de los cursos que se imparten en las universidades españolas y extranjeras preocupadas por todo lo relacionado con la nueva España posterior a la muerte de Franco, usan como referente poético el marco creado a través de los libros anteriormente citados y es de temer que el peso de una bibliografía que ya empieza a ser abundante no favorezca precisamente al cuestionamiento de su historicidad. Hasta tal punto es así que incluso un texto pretendidamente crítico como *Las voces y los ecos* de José Luis García Martín emplea la mayor parte del prólogo en discutir la lista canónica de los miembros integrantes de la generación sin aportar ningún criterio alternativo que justifique su propia selección, a cuyos miembros no dedica ni una sola línea. Flaco favor, en mi opinión, el que dicha antología hace a unas obras en un contexto donde no se especifica cuáles son las voces y cuáles los ecos. *Los postnovísimos,* de Luis Antonio de Villena y *La generación de los ochenta,* obra, de nuevo, firmada por José Luis García Martín están dedicadas a presentar a los nuevos poetas surgidos con posterioridad a los que nos ocupan. Ambas, sin embargo, reproducen idéntico principio. Al estudiar la supuesta continuidad entre las dos generaciones, más que comentar las características de las nuevas aportaciones se certifica el valor implícito de las que parecen definir a la generación anterior. Ya el uso mismo de «novísimos» en el primer caso como lema definitorio es en sí mismo significativo. Desde un punto de vista histórico no hay nada que objetar. Es cierto que la tendencia dominante, por las razones aducidas con anterioridad puede ser definida en dichos términos. Sin embargo, conviene clarificar que da como análisis objetivo lo que es, de hecho, una toma de posición particular respecto a un fenómeno más amplio, contradictorio y complejo.

Los intentos, por otra parte, de revisar dichos principios articuladores han llevado a veces a confundir la cronología fundacional de las generaciones con una cierta relación jerárquica de influencias. Así, el que una propuesta aparezca paralelamente en la obra de un poeta de la generación del 50 y otro de la generación del 70 puede llevar a definir la primera como origen de la segunda. Es lo que ha ocurrido, por ejemplo, con gran parte de la obra última de José Ángel Valente y lo que Amparo Amorós [1982 y 1988] ha definido como la «retórica» y «poética» del silencio. La importancia literaria y teórica de la obra de Valente en el mundo cultural hispánico a lo largo de más de tres décadas no debe, sin embargo, trastocar el orden temporal de las cosas. De hecho lo que su poesía inicia a partir de *Material memoria* (1974) significa un cambio cualitativo respecto a su obra publicada antes de esa fecha y, aunque el nuevo planteamiento pueda rastrearse en huellas parcialmente implícitas en su trayectoria anterior[7], cuando se manifiesta de manera abierta, ya estaba funcionando en parte de la poesía de los escritores más jóvenes. El problema aquí es, de nuevo, la consideración del desarrollo histórico como un proceso de sucesión lineal en vez de como una interrelación de discursos copresentes que se interinfluencian mutuamente. En efecto, la no prioridad jerárquica ni cronológica de Valente en este aspecto concreto no significa, desde esta perspectiva, un aspecto negativo, sino todo lo contrario: como en el caso del Aleixandre de *Poemas de la consumación* y *Diálogos del conocimiento,* en quien también hay huellas de la poesía más joven, es la expresión misma de una vitalidad escritural capaz de estar abierta a cuanto de nuevo circule por los vientos de la época y del momento histórico en que el poeta vive y escribe.

Una historia de la poesía de la generación que tuviese pretensión de verosimilitud debería, por ello, partir del análisis del marco sociológico y cultural que hizo posible su nacimiento, entendiéndolo no como una cadena temporal de antes a después sino como una malla donde todas las piezas se articulan en un presente contradictorio pero unitario[8].

En el caso del periodo que nos ocupa —la era de la televisión, o era neobarroca, como la ha definido Omar Calabrese [1987]— ese marco ya no está articulado en torno al papel dominante de lo que Althusser denominó el aparato ideológico «escuela», sino que se rige por los principios epistemológicos del aparato que ha ocupado su lugar: los *mass media,* de quien el primero acaba asumiendo las reglas y normas de funcionamiento. De entre esos principios, el más importante es el de la publicidad; ese principio que Jean Pierre Voyer [1975] definió como la capacidad de un discurso que habla de lo que no vend·

---

7 Véase Miguel Mas (1987).

8 Unos primeros intentos de clarificar el panorama, al menos por lo que suponen de problematización de las formas de aproximación al periodo pueden verse en Jaime Siles (1988), Miguel Casado (1988) y Pedro Provencio (1988).

para poder vender mejor aquello de lo que no habla.

Páginas atrás, al hablar del caso de Luis Cernuda, afirmábamos que las formas de su recuperación implicaban no sólo una revalorización de su poesía sino, fundamentalmente, el establecimiento de unos parámetros —nunca definidos como tales— desde donde leerle y actualizarle. Otro tanto podría decirse respecto a la función que cumplen las relaciones que se establecen en el panorama de los comentarios críticos de unos poetas sobre otros en el periodo que comentamos. El volumen especial que la revista *Ínsula* dedicó a conmemorar el número 500 de su biografía [1988] muestra un buen ejemplo. En él se recogen, convenientemente seleccionados y ordenados, algunos de los artículos más significativos aparecidos en sus páginas y dedicados a la literatura española de los últimos cuarenta años. Resulta particularmente significativo el carácter cruzado de las lecturas. Unos poetas escriben sobre otros formando una espesa malla sin apenas resquicios. Por lo que se refiere a la generación que nos ocupa, la nómina apenas si permite la entrada de algún *outsider* como Andrés Sánchez Robayna, curiosamente comentado, a su vez, por otro *outsider* de la crítica, Jorge Rodríguez Padrón. Dejando al margen el merecimiento y pertinencia de los juicios que allí se formulan, que aquí no se ponen en duda, resulta necesario indicar que, históricamente hablando, se parte de una selección de nombres, de entre los que por una razón y otra han tenido acceso a comentario en la historia de la revista —sobre la base de un principio de exclusión/inclusión casi siempre anclado en razones de afinidades o gustos personales, perfectamente aceptables y comprensibles— y se elude la problematización de ese principio que hizo posible dicha selección a lo largo de los años en un contexto de clara vocación informativa. Los nombres parecen decantados objetivamente a partir de una relación de frecuencia estadística y, asumen así, aún en el caso de no pretenderlo, una función canónica que solapa la existencia de contradicciones y tensiones no sólo estilísticas sino ideológicas y políticas en el proceso histórico de su producción discursiva. Ello, en un contexto cultural como el que domina en los últimos años, donde el valor no va asociado a la crítica o al análisis sino a la circulación, convierte la *presencia* de los nombres, y no necesariamente de las obras, en los medios Académicos (con *A* mayúscula) —revistas especializadas, programas de enseñanza, conferencias, simposia, cursos de verano, etc.— y académicos (con *a* minúscula) —prensa periódica, suplementos literarios, programas en radio y TV, etc.— en sinónimo de *juicio literario,* haciendo que los datos y las fuentes sean el resultado no de la discusión de los textos sino del frotamiento y la repetición de los nombres que asumen socialmente su representación. Desplazando el punto de articulación desde el discurso poético hacia el dispositivo-autor, y de éste hacia la figura pública que parece otorgarle entidad real, se sustituye la problematicidad de la escritura por la imagen social del escritor. Las leyes que rigen el juego dejan de ser de índole analítica para pasar al terreno del intercambio simbólico donde la poesía ya no es un artefacto productor de sentido, sino pura y simple mercancía.

6. *La coartada metapoética*

En efecto, nada hay tan difícil de analizar como aquello que no se desea analizar. Por ello, la crítica, periódica o especializada, sobre la llamada «generación del 70» resulta ya, desde esa perspectiva y a la altura de 1992, tan clarificadora como engañosa. Clarificadora, no por lo que *dice* sino por lo que *calla* de su supuesto objeto; engañosa, porque, salvo contadas excepciones, evita asumir su carácter constructor, ofreciendo como descripción de un estado de cosas lo que, de hecho, surge como una forma previa de acotar, definir y clasificar un territorio. Resulta, por ello, sumamente significativo el que el doble monográfico dedicado por la revista *Ínsula* (números de enero y abril de 1989) a la poesía de dicho periodo, agrupe, bajo el epígrafe de *El estado de la cuestión: De estética novísima y los «novísimos», I y II* sólo aquellos textos que de manera más o menos explícita —o por su presupuesto de partida o por la función que se le pueda hacer cumplir al contenido de sus resultados— se sitúen en una posición crítica y epistemológica afín a la que sustenta su coordinador. Como afirmábamos páginas atrás, nada hay, en principio, de extraño o criticable en dicha postura. Toda crítica habla siempre desde una perspectiva y desde un sistema de valores determinado. El problema comienza cuando dicha perspectiva y dicho sistema fundamentan su supuesta objetividad en la objetividad que, también supuestamente, caracterizaría al objeto comentado. *Canon, corpus* de análisis, son términos cuya existencia histórica se acepta sin mayor discusión como surgidos de una decantación temporal y aséptica. La responsabilidad del que habla se desplaza hacia aquello de lo que se habla, y la crítica puede centrarse en describir sus mecanismos o en descubrir sus leyes internas sin riesgo de ser acusado de parcialidad. Basta entonces obviar cuantas formas de práctica poética o literaria no se acomoden a sus marcos de referencia para que los criterios cuadren. La crítica se reduce, entonces, a cumplir el papel de narrador de una historia cuyo argumento, personajes y situaciones anecdóticas ya han sido definidas de antemano. Cuestión nada extraña, por otra parte, en un contexto cultural donde la novela, en su acepción decimonónica, es el modelo discursivo hegemónico.

Las cuestiones terminológicas a menudo son baladíes; la mayoría de las veces, sin embargo, como es el caso que nos ocupa, implican problemas conceptuales. Así, definir la poesía de los años 70 como *novísima,* supone por ello, no sólo la elección de unas obras y unos nombres como referente enmarcador —con las características que, propia o impropiamente, la crítica oficial les ha otorgado en los últimos veinte años—, sino la reducción no ya del terreno analizable —los textos publicados en el periodo— sino del punto de vista analítico al que corresponde a aquel marbete explicador. No voy a repetir aquí lo ya expuesto en páginas anteriores, pero sí recordar que la construcción de todo canon historiográfico dirige, selecciona y construye a su vez su propio objeto y la perspectiva desde donde leerlo. En una palabra, no hay crítica sobre los «novísimos» porque existan previamente los «novísimos», sino que hay «novísimos» como objeto de estudio porque existe una crítica que habla de ellos. Con ello, por supuesto, no estoy negando la existencia de unas obras o unos nombres, sino, en primer lugar, su definición como parte integrante de un grupo, poniendo en cuestión su consideración como testimonios individualizados de una conceptualización que más que generar, han acabado por tener que asumir y ejemplificar *a posteriori;* en segundo lugar, el valor normativo y general que de dicha conceptualización parece derivarse. No es casual si las dos propuestas más radicales (aunque con horizontes y alcances muy diferentes), de aquella primitiva operación promocional que dio origen a la cuestión que nos ocupa, los *Nueve novísimos poetas españoles* de José María Castellet, esto es, *Una educación sentimental* de Manuel Vázquez Montalbán y la producción de Leopoldo María Panero, han casi desaparecido del universo referencial de la crítica sobre esta generación o grupo, en favor de otros nombres y otras obras más reductibles a una estética de lo comprensible, propia de la escritura hegemónica en el periodo moderno. Cuando se les cita, fundamentalmente, es para subrayar el paso de Vázquez Montalbán a la novela y el carácter extraño, «atípico» de Panero, no para analizar en qué consiste su propuesta discursiva.

Así el rechazo de la llamada muerte del Arte preconizada por Hegel —que asumieron movimientos, por otra parte tan hegelianos, como las llamadas vanguardias artísticas del primer tercio de siglo— ha producido una especie de *revival* kantiano dentro de un recorrido pendular en el que se busca, o bien recuperar un concepto tradicional de Arte, o bien modo alternativos de producirlo. No parece, sin embargo, preocuparle a nadie el análisis de aquellas propuestas cuyo horizonte ha sido, de un modo u otro, poner en cuestión la noción misma de arte, algo que sí se planteaban, en este caso concreto, los textos de los dos autores citados con anterioridad, cuya escritura, por tanto, se situaba, desde un principio, *en un lugar discursivo diferente* al que asumieron como propio los demás autores del volumen, así como los que más tarde se añadieron a la nómina ya institucionalizada (pienso en Luis Antonio de Villena o Antonio Colinas, por citar sólo dos ejemplos). Tal parece que el problema se redujese a un flujo y reflujo de modas —romanticismo y neorromanticismo, vanguardia y neo-vanguardia, modernistas y neo-modernistas— y no hubiera en juego una cuestión epistemológica. La historia de la poesía española de posguerra sería así una especie de historia de los distintos modos de decir lo mismo, esto es, de remitir a unos supuestos «universales» estéticos que cada periodo o grupo no haría sino reproducir bajo diferentes ropajes.

Es claro que ni la ya extensa bibliografía ni las propias y elaboradas poéticas explícitas de la mayoría de los autores, ni siquiera la iniciativa de reunirse en encuentros públicos (mediante un calculado sistema de inclusiones/exclusiones), ha permitido definir un denominador estético común. Sí que resultaría no muy difícil, sin embargo, encontrar, al menos en la mayoría de quienes han acabado por asumir la representación del periodo, una compartida aceptación del concepto del artista y del valor más o menos «eterno» del resultado de su oficio. Por ello en la mayoría de los trabajos, incluso en aquellos que ponen en duda su carácter unitario o el papel ético o político que sus textos cumplieron, se asume la validez del corpus sobre el que se trabaja, sin cuestionar cómo, en torno a qué intereses y sobre la base de qué reduccionismos teóricos o de otro tipo fue construido como objeto publicitario, primero, y académico después. Antonio García Berrio [1989] ha afirmado en un trabajo relativamente reciente: «no creo en la profundidad de una estrategia marcada en la disidencia política de los novísimos». Tal vez, sin embargo, una afirmación como ésta sería innecesaria si se analizase más detenidamente hasta qué punto la existencia de dicha supuesta estrategia no es sino el resultado de una valoración posterior, hecha por unos, impostada a los más y justificada *a posteriori,* como característica generalizada, en un intento de salvar como «compromiso» compartido de una forma de entender el trabajo de escritura que en la práctica nunca existió, salvo en casos aislados. Esta noción de compromiso, de origen sartreano y basada en el carácter central del sujeto, entendido como sujeto cívico, no discursivo, hace depender la funcionalidad de la escritura poética de la voluntad de quien la firma, convertido así en propietario privado de su sentido. Por ello, decir, como hace Guillermo Carnero [1983], que los novísimos fueron obviamente hijos de sus circunstancias —¿y quién no?, añadiríamos nosotros— no soluciona el problema, antes bien, lo reduce a un simple juego que el tiempo se habría encargado de clarificar.

Posiblemente la ambigüedad con que se aborda la cuestión de la función social de la poesía de la generación de los años 70 parta de la utilización que se ha hecho del esfuerzo voluntarioso pero equívoco realizado por Carlos Bousoño en su trabajo ya citado sobre Carnero que prologó la poesía reunida de éste último, sobre todo en lo que se refiere a la noción de metapoesía. En dicho concepto, tal y como opera en el texto bousoñiano, se parte del concepto de una crítica a la razón racionalista que haría de una poesía que habla de la poesía un discurso contra el poder. Contra esa ambigua acepción de metadiscurso, se publicaron en su día, hasta donde se me alcanza, tres textos[9] sobre algunos de cuyos argumentos quisiera volver ahora.

En mi trabajo de 1979 decía que el concepto de metapoesía provenía de una utilización metafórica de un concepto tomado de la lingüística, el de metalenguaje, entendiendo como tal un sistema semiótico cerrado, autónomo y articulado, es decir, un lenguaje cuya particularidad reside en tener otro lenguaje como universo referencial. Según esta definición, metapoesía sería aquella poesía cuyo universo referencial fuese la propia poesía. Hasta aquí todo parece claro. Ahora bien, si la metapoesía es un lenguaje debe poseer, al menos, la característica que a éste le

---

[9] Talens (1979 y 1981) y Prat (1980 y 1983).

es propia, esto es, la de dividir en unidades mínimas, articular y estructurar su universo referencial. En ese caso, la metapoesía, o bien es redundante o bien estructura un universo que previamente no lo estaría, lo que, de entrada es contradictorio con la definición misma de poesía como lenguaje. ¿De qué hablamos pues cuando hablamos de metapoesía? Probablemente la función operativa de dicho concepto no haya sido tanto definir una forma de escritura cuanto, por oposición, dar por sentada la existencia de una poesía que no fuese al mismo tiempo metapoesía, esto es, aceptar la posibilidad de existencia de lo que Derrida llamaría una metafísica de la presencia, es decir, de algo que está ahí y de lo que nosotros nos limitamos a hablar. Se desplaza de ese modo el problema de la *producción/construcción* del referente al territorio de su *representación*, y con ello se mantiene el mito de ese «algo intangible» becqueriano, exterior y ajeno, de que es vaso el poeta. El punto de vista ya no define un espacio —significante, político, ideológico— sino que se limita a reproducir «lo que hay» o «una parte de lo que hay». Pocos conceptos pueden ser tan útiles, por ello, como el de metapoesía, al mantenimiento acrítico de las nociones de *canon* y *corpus*. Al mismo tiempo, con esta división se reintroduce en el discurso crítico la diferencia entre contenidos (referenciales; antes cambiantes, ahora agotados), y formas (variables pero en relación a un universo estable de características inciertas, la Poesía, con mayúscula, cuya historicidad e inconcreción como tal discurso «universal» se dan por supuestos). Si la poesía ya no puede hablar del mundo, hablará, al menos, de cómo otros poemas han hablado del mundo. El discurso del método suplanta así al método del discurso.

Evidentemente no creo que todos los que han utilizado el concepto lo hayan hecho con este propósito, pero, como apuntaba antes, el problema no es de voluntad sino de resultado epistemológico. Con dicho concepto se puede llegar a afirmar la capacidad metapoética —es decir, crítica y política, ya que aquí anda de por medio la cuestión del «poder»— de unos textos que, por ejemplo, asuman la parodia de las fórmulas del periodo llamado clásico como dispositivo de escritura sin entrar en más detalles. Reproducir, por ejemplo los modelos finiseculares a partir de sus resultados textuales, sin analizar su concreta función histórica, es confundir el valor de uso con el valor de cambio, lo que a más de uno lo ha situado en el peligroso territorio de la mixtificación.

Afirmar en 1974 que «la poesía ha llegado a un estudio de metalenguajes»[10] podía ser entendido entonces como una forma metafórica y no muy precisa de hablar. Asumirlo como postulado quince años después[11], cuando la discusión teórica ha clarificado tantas cosas, puede resultar peligroso. Así formulada, en dicha afirmación se confunden, por una parte, la noción de realidad como entramado de discursos con la de realidad natural (?) —*ha llegado,* luego antes no fue así—, y, por otra, la de dialogismo, en sentido bajtiniano, con la de autorreflexividad. No es casual si bajo la noción de metapoesía —hoy ya actuante dentro de límites más que flexibles, difusos— puede incluirse cualquier práctica que denote la técnica como contenido explícito del poema. Así han llegado a ser definidas como metapoesía formas de utilización de estrofismo clásico o de estructuras más o menos «fijas», entendiendo que con ello necesariamente existe una reflexión sobre el discurso de la tradición. Reivindicar, por ello, y por citar algunos ejemplos, la sextina, la espinela o los tercetos encadenados, o el uso del alejandrino ha llevado al equívoco de entender que dichos módulos, en tanto tales, «son» la poesía clásica y no un elemento más dentro de un complejo sistema dialógico discursivo-cultural cuya funcionalidad histórica provenía del hecho de estar inserto en dicho sistema y no de ninguna cualidad inherente al módulo en cuestión. Es, en definitiva, una manera poco sutil de reintroducir la célebre dicotomía *forma* (neutra) y *contenido* en la práctica poética. Es algo que ha ocurrido con bastante frecuencia en la escri-

---

[10] Guillermo Carnero (1974).
[11] Ignacio-Javier López (1989).

43

tura de la generación del 70 producida en la década de los años 80.

Por otra parte, esa misma dicotomía ha permitido institucionalizar, en el extremo opuesto, y ya dentro del panorama de la obra de escritores pertenecientes a la generación posterior, la recuperación de «temas» también llamados «clásicos» —que a veces no son, ambiguamente, sino la redundante repetición de lo mismo— como variante de dicha supuesta reflexión. De ese modo se ha hecho posible convertir el juego de la «ficcionalización» propio de gran parte de la poesía producida en la década de los años 80 en una aparente forma de «distanciamiento» respecto al carácter de narración de la experiencia que caracterizó a muchos de los integrantes de la generación del 50. Y digo aparente porque en ambos casos perdura la voluntad de un sujeto central que —con máscara o sin ella— controle y exprese el sentido de «su» discurso. El apoyo sistemático que los poetas del 50 más proclives al concepto de poesía como comunicación han dado a este planteamiento frente a lo que se ha preferido ver como «culturalismo», «carácter libresco», etc. de la generación del 70, es, desde esa perspectiva, coherente, aunque no necesariamente neutral. No es casual si con ello se sigue superponiendo la idea del «poeta» a la de «discurso poético», desplazando el centro de interés desde la *escritura* hacia el *nombre* (la firma). Llevándole la contraria a Lautréamont, dicha concepción parece querer demostrar la imposibilidad de romper «el hilo indestructible de la poesía personal», olvidando que ya Montaigne afirmaba hace siglos que no hacemos sino entreglosarnos los unos a los otros. Y es que, como diría Humpty Dumpty, la cuestión hoy tampoco reside en saber si ello es o no posible, sino en quién manda.

7. *Su versión/Su(b)versión:*
   La porpuesta textual «Leopoldo María Panero»

La poesía de Leopoldo María Panero se sitúa, desde sus mismos orígenes cronológicos en un territorio diferente, donde la misma presencia del «poeta» como figura de referencia, incluso existiendo a veces en exceso, es prescindible. En efecto, la voz que sirve de soporte y articulación al discurso poemático, aunque no eluda la primera persona del singular, no se confunde con ella, ni, sobre todo, pretende hacer de lo que dice la expresión más o menos «confesional» de una biografía determinada. Hay, evidentemente, una experiencia desde la que hablar, pero nunca esa experiencia es otra cosa que motor para una reflexión que excede los límites estrechos de su anécdota. No creo, por ello, que valga la pena detenerse en discutir si dicho desplazamiento respecto a la mayoría de los miembros de su generación era una necesidad o una estrategia, como afirmó en una ocasión Eduardo Haro Ibars [1985]. El propio Panero, aunque sin asumir las connotaciones valorativas de signo negativo que movían a Haro Ibars, ha reconocido en más de una ocasión que lo empezó como juego de máscaras, acabó por serle impuesto socialmente. («Era tan chulo que me quería meter con toda España, y total, que España me ha metido aquí» [Fraile, 1989].) Ello, sin embargo, no cambia los términos de la cuestión. Las razones que motivan la creación de un «personaje» público determinado como imagen de sí son, para nuestro propósito, indiferentes puesto que no se trata de (psico)analizar a un escritor, sino de analizar una escritura, esto es, de describir en la medida de lo posible los dispositivos discursivos que la informan, o lo que es lo mismo, de esbozar una hipótesis de lectura que no busque someter los textos a una lógica que no tiene por qué ser la suya. Por lo demás, preguntarse si una escritura es o no sincera implica situar la discusión en un territorio donde la oposición verdadero/falso sea posible, lo que no es el caso.

En efecto, una de las peculiaridades más explícitas de la producción de Panero es la de subrayar el carácter discursivo no sólo de la poesía sino del mundo al que aquélla parece remitir. La realidad a que se alude es también literaria, no porque no haya sido «vivida» sino porque sólo puede ser «representada», esto es, construida como interlocutora, en términos de literatura. El diálogo no se establece entre un lenguaje (poético) y una exterioridad «vivencial» sino entre dos lenguajes, o mejor, entre dos formas de inscribir la huella de lo vivido en el terreno de lo real: una que remite a una tradición codificada y clasificada como «literatura» y otra que tiende a borrar el carácter discursivo que la constituye. En ese diálogo, en consecuencia, la «especificidad» de lo poético es concebido como un efecto de sentido, no como algo con entidad propia. Decir «poesía» es hablar, en última instancia, de una manera excesivamente vaga y confusa. «Poesía» es un concepto surgido como resultado de una institucionalización. Es, en ese sentido, una noción arbitraria que puede significar cosas distintas en contextos diferentes. Frente a la asunción de una «artisticidad» más o menos tangible y explicable en términos cuantificables y capaces de formar sistema, la escritura de Panero no cesa de reivindicar lo a-poético, lo imperfecto, lo «descuidado» como horizonte de trabajo. En alguna medida, ello explicaría, no sólo la sobreabundancia de citas (no siempre correctas) y de referencias a otros textos que atraviesa tanto la escritura-Panero como la persona-Panero, sino la repetida negación de lo poético (es decir, de lo artístico) en cuanto tal que ambas verbalizan. Bien sea por la necesidad de resguardarse tras el parapeto de la autoridad ajena al emitir un discurso que se sabe transgresor, bien porque, como el propio Panero afirmó en una ocasión a Biel Mesquida (1977), las ideas deben pasar por lo que ya se ha escrito previamente y lo único que hay que hacer es conectar datos que ya existen, que siempre han existido, lo cierto es que la voluntad de «originalidad», si se da, busca hundir sus raíces en el punto de vista que articula el decir, nunca en lo dicho.

Este procedimiento ya estaba presente incluso en las a veces ingenuas radicalidades de *Así se fundó Carnaby Street,* y, en cierta medida, en ello residía su principal diferencia respecto al conjunto del grupo «novísimo» en que inicialmente apareció enmarcado. El referente de lo literario no aparece en este libro como sustitución de la vida sino como explicitación del imaginario cultural desde el cual la pensamos, valoramos y analizamos. Aunque con alcance e implicaciones diferentes, era algo similar a lo que Vázquez Montalbán definía en términos de «educación sentimental», sólo que en Panero dicha «educación» nunca apela al «sentimiento» del lector, sino a su cultura y tampoco se circunscribe a un marco sociológico compartido —franquismo, postguerra, etc.— sino que potencia la experiencia individual como resultado de ese mismo marco. Por ello, el «culturalismo» exacerbado de sus libros no se basa en la autocomplacencia del afeite sino en la conciencia del horror que sostiene su inutilidad, porque sin poder salir de él, tampoco permite que nos lo apropiemos en nuestro propio beneficio. Estamos hechos de su misma sustancia y, en consecuencia, somos juez y parte del proceso. En un universo donde lo cultural es la forma de existir de la naturaleza, ser y conocer se convierten a la vez en contrarios y equivalentes. Escribir es, por ello, en Panero un solipsismo que se reconoce como tal.

La posibilidad misma de un yo que otorgue unidad a ese fluir inconexo de imágenes que se superponen sin ilación aparente queda en entredicho. No hay una voz que busque subrayar su centralidad, sino la asunción cada vez más explícita de su misma vacuidad, de su carácter mestizo, en tanto resultado de otras muchas voces, que se citan, resuenan, renacen y se anulan mutuamente, en un fluir tan consistente como esquizofrénico. Lo subjetivo no puede eludirse (no se puede no decir «yo»), pero tampoco ser dicho (el «yo» no puede decirse). Sólo queda construir un lugar donde el yo, es decir, la falacia que lo constituye, no tenga cabida. De hecho *Teoría* no hace sino preparar el camino para ese proyecto,

Tu imperio que también ahora, larga e inútilmente recorro
mirando a las ciudades como ruinas, observando febril-
mente los indicios de la Nueva Ciudad
gustándome en esa ruina imaginaria que es el anuncio de
la catástrofe de la realidad,
de la que la locura es la representación cabal

Ese proyecto es el que *Narciso en el acorde último de las flautas* llevará a cabo de manera radical. El Johannes de Si-
lentio que abre el volumen y asume su autoría es ya un
«otro» que interioriza su desdoblamiento como forma y
como sustancia. La máscara de la locura que lo consti-
tuía, da paso entonces a la locura como lucidez. Quien
habla no es ahora un muerto ficticio sino una voz «otra»,
que ocupa ese «otro» lugar no convencional, extemporá-
neo y en continua mutación del fuera-de-juego. La auto-
biografía es un efecto de sentido, y nada más, el resultado
de hablar *desde* pero no *de* sí:

> Pero no narro mi historia: es un vicio muy triste y muy
> español el de creer universal la propia anécdota. Narro la
> historia únicamente de un escritor imaginario que, pon-
> gamos, soñó no sólo haber escrito, sino incluso haberse
> defendido de su nombre en entrevistas, artículos y otros
> números circenses por los que se alejaba de toda tentativa
> de una banal idolatría a la que sabía, a la postre, siempre
> perjudicial para su cuerpo; que soñó que el arte es largo, y
> trabajo y no sueño, que soñó, en definitiva, haber escrito.

Desde esa perspectiva, la poesía de Panero no es, en
sentido estricto, «culturalista» —en la medida en que dicho término es utilizado para indicar un cierto carácter
retórico y no referencial— sino rabiosamente «realista».
Lo fragmentario, lo incoherente y en general todo aquello que busca situarse en el territorio del exceso (coprofi-
lia, incesto, impotencia, homosexualidad, sadismo, ma-
soquismo, etc.) no entran en los poemas como provocación sino como síntoma, porque si no son «la» verdad al
menos forman también parte de una (otra) verdad.
Quien habla en los poemas (¿quién habla en los poe-

mas?) ofrece su versión del mundo, una versión que surge de la conciencia de que nunca hubo un paraíso (ni siquiera ese simulacro llamado infancia) y que «el principio del mal», como apuntó Eugenio García Fernández (1985) «coincide con el principio de la vida». La individualidad que parece asumir no es, sin embargo, como hemos visto, un «sujeto» sino un «lugar», algo que expone la huella de un cruce de convenciones sociales y discursivas explicitadas como tales, algo que, por consiguiente, subvierte, con su misma presencia, los códigos que regulan no sólo nuestro mundo sino la manera de instalarnos en él. No me parece casual que la escritura de Panero produzca, por ello, un rechazo frontal, o su equivalente, una admiración carente de criterio: se reconoce en ella la «especificidad» de un poeta que no sólo niega que exista «un» poeta, sino que lo «específico» tenga sentido. La escritura que sus poemas articulan es asociada a su nombre y, a través suyo, a la persona homónima que la firma. De ese modo, la recuperación institucional de esta última —lo marginal es marginal porque existe un centro respecto al cual serlo— permite elidir la negación del sistema que aquélla implicaba.

La poesía de Panero, enfrentada desde este punto de vista, no puede ser considerada, en consecuencia, un objeto autónomo, a la manera en que un «poeta» parece reclamar atención «individualizada», en tanto objeto compacto y cerrado. La escritura que su dispositivo pone en juego implica en Panero, un carácter dialógico, esto es, una no pertinencia de la noción de objeto cerrado y compacto y la co-presencia de unas tipologías de discurso institucionalmente aceptadas en nuestra tradición más o menos académica cuya validez y estatuto son cuestionados en el transcurso de ese diálogo. No puede tampoco, ser analizada respecto a modelos valorativos que se den como «eternos» y «esenciales» a base de borrar la concreta inscripción histórica de su temporalidad en tanto discurso *producido* y en tanto discurso *leído* y *consumido* socialmente. La práctica que históricamente denominamos «poesía» no se adecúa a lo que Panero propone como tal, un discurso que sólo existe en la medida de su relación con fenómenos extraliterarios y simbólicos al tiempo que es tributaria de formaciones discursivas paralelas. Cada enunciado se halla atrapado, se quiera o no, en el espacio multitudinario de la discursividad. La escritura «Leopoldo María Panero» parte de ese principio. Leer su propuesta, así como historiar su desarrollo implica, pues, el hacer frente al sistema de contradicciones que lo atraviesan, lo definen y lo constituyen. En estas condiciones el colapso de la simetría de significante y significado es corolario de la anulación de la autonomía estética. La defunción de ambos principios convierte en inoperantes tanto el estudio «formal» de los textos como una descripción de su misma existencia canónica que no cuestione las condiciones históricas que la hicieron posible.

La historia de la poesía española de la generación de 1970, como toda historia, es siempre abordada desde un modelo previo que la construye como objeto. Si se trata de redefinir dicha historia —y no otro es el sentido de iniciar su «canonización» en una colección como *Letras Hispánicas* con alguien tan escasamente canónico como Leopoldo María Panero— desde un punto de vista que haga frente a la posición ideológica que prefiere entenderla como un hecho «natural», será necesario sustituir la noción de *sucesión de centros* (autores, periodos, estilos, etc.) por la de *proceso sin centro*. Los textos literarios no son sino nudos en una red discursiva. Ello nos lleva directamente a considerar que la historia literaria no es sino una parcela específica dentro de una historia de la relación dialógica entre los diferentes discursos que componen una cultura; esto es, algo que no puede ser entendido fuera de una aproximación *intertextual* en sentido bajtiniano. Esto nos obliga a enfocarla en términos de una doble relación: *intertextualidad cultural* e *intertextualidad literaria*. Por lo que atañe a la primera, un discurso literario sólo es abordable en tanto segmento o concatenación de segmentos discursivos en el interior de una red de discursos articulados entre sí. Por lo que atañe a la segunda —sólo analizable en el interior de la primera— un discurso literario establece relaciones *horizontales* (sintagmáticas) con el discurso global de la literatura en su propia lengua y con el discurso literario en otras lenguas; y relaciones *verticales* (paradigmáticas) con el conjunto de discursos —políticos, religiosos, económicos— que componen una cultura espacial y temporalmente determinada. No es lo mismo analizar el sentido de un poema en un universo articulado en torno a la palabra que si lo abordamos debe una percepción habituada al flujo televisivo del intercambio y la publicidad. Aunque pueda hablarse de la permanencia de unas constantes retóricas o estilísticas en la historia de la literatura, dicha permanencia no implica una cualidad inherente al discurso sino la continuidad de una «función»; dicha función es sólo un valor otorgado históricamente a dichas constantes por tradiciones culturales determinadas, en el interior de formaciones sociales determinadas. En consecuencia la Historia de la Literatura debería ser entendida como la Historia del proceso de institucionalización social de una práctica discursiva. Desplazando el punto de articulación desde el proceso de producción del objeto hacia el proceso de reproducción (esto es, *lectura*) del mismo puede analizarse lo literario *desde* el interior de una formación social en su *presente. Le reste est bavardage.*

De esa forma quizá pueda evitarse que el crítico o historiador sufra la tentación oracular, la presunción del punto de vista privilegiado. Ver no es suficiente, escribió D. T. Suzuki. Conviene no olvidar que la historia no se cierra en los umbrales que nuestras plantas dibujan en las sueltas arenas de la playa.

Esta edición

Para esta edición sigo el texto tal y como aparece en la compilación publicada con el título *Poesía 1970-1985* (Madrid, Visor, 1986) para los poemas anteriores a *Poemas del manicomio de Mondragón* (Madrid, Hiperión, 1987). La selección de este libro, así como la de *Contra España y otros poemas no de amor* (Madrid, Ediciones Libertarias, 1990) y la de *Piedra negra o del temblar* (Madrid, Libertarias/Prodhufi, 1992) sigue sus respectivas primeras ediciones.

Toda selección es gratuita y falsificadora del sentido global de la obra a que simula aludir. Elegir un texto en vez de otros no tiene por qué indicar mayor o menor representatividad. En el caso de la escritura de Leopoldo María Panero, cuyo carácter procesual y unitario resulta parte integrante de su propuesta poética, la arbitrariedad se multiplica por dos. Para alguien, como Panero, que hace de la copresencia de múltiples variantes una forma de inscribir su desconfianza en la obra «acabada», o lo que es lo mismo, en la noción «artística» de la poesía, el inacabamiento, las aparentes caídas de ritmo, la poco académica forma de puntuar así como las citas que aparecen con una grafía o una sintaxis incorrecta no son «errores» que un escrupuloso editor debiera corregir. Son, por el contrario, inscripciones de un taller de trabajo que asume lo imperfecto, los lapsus de memoria o las contaminaciones de lecturas como la forma natural de vivir y de ser de lo literario. El desorden y la incorrección no entran en los poemas de Leopoldo María Panero por falta de competencia, por descuido o como mero recurso retórico, sino porque son la verdad.

La literatura, sin embargo, no es el nombre de una serie de objetos, sino, como ya indicaba al inicio de estas páginas, el de un entramado de operaciones sociales que implican escritura, lectura, crítica institucional, distribución y comercialización, valor social de uso y valor de cambio, etc., y, sobre todo, *copyright,* tanto por parte de quien le concede el privilegio de la firma a título de «autor» como por parte de la(s) casa(s) editorial(es) que la ponen en el mercado. Este último integrante de lo literario impone que el volumen que el lector tiene entre las manos deba necesariamente ser antológico. La selección, pues, así como el título que la encabeza son un riesgo y una traición que me toca asumir. Sirvan ambos como homenaje a una de las escrituras más lúcidas y radicales que ha producido la poesía española de esta segunda mitad de siglo.

No hago separaciones entre volúmenes en la ordenación de los textos. Para quien desee conocer a qué libros pertenecen cada uno de ellos incluyo, sin embargo, a continuación, la proveniencia de los poemas:

«Canto a los anarquistas caídos sobre la primavera de 1939» *(Primeros poemas,* en *Poesía 1970-1985);* «Imperfecto», «Elegía», «La matanza del día de San Valentín», «El estreno en Londres de *Mary Poppins»,* «La muerte de Orlando», «Encontré sólo telarañas», «El retorno del hijo pródigo», «Homenaje a Eliot», «La huida a Egipto», «La metamorfosis (III)», «Unas palabras para Peter Pan», «Blancanieves se despide de los siete enanos», «20.000 leguas de viaje submarino», «La canción de amor del traficante de marihuana» *(Así se fundó Carnaby Street);* «Destruktion ficticia», «El canto del Llanero solitario», «Condesa morfina», «Majestad última de los pedés», «Vanitas vanitatum» *(Teoría);* «Pavane pour un infant defunt», «Schekina», «Glosa a un epitafio», «[Aún cuando tejí mi armadura de acero]», «Los pasos en el callejón sin salida», «Ma mère», «Linterna china», «El circo», «Corrección de Yeast», «Descort», «Cópula en un cuerpo muerto»,

«Alba», «After Gottfried Benn», «Da-sein», «Da-sein, 2.ª versión», «Mancha azul sobre el papel», «Storia», «Eve», «La maldad nace de la supresión hipócrita del gozo», «La alucinación de una mano o la esperanza póstuma y absurda en la caridad de la noche», «Un cadáver chante», «Mutación de Bataille», «Un poema de John Clare» *(Narciso en el acorde último de las flautas);* «A Francisco», «El baccará en la noche», «El lamento del vampiro», «El día en que se acaba la canción», «Imitación de Pessoa», «La canción del croupier del Mississipi», «El loco», «Senesco, sed amo» *(Last River Together);* «La tumba de Christian Rosenkreutz», «Un asesino en las calles», «El suplicio», «Mutis» *(El que no ve);* «Caput mortis» *(Dioscuros);* «Réquiem», «La flor de la tortura», «Soldado herido en el lejano Vietnam», «La noche del soldado en la casa abandonada», «Trovador fui, no sé quién soy», «Ora et labora, I», «Auto de fe», «De cómo Ezra pound pasó a formar parte de los muertos» *(El último hombre);* «[Marcho inclinado, mirando al suelo]», «El canto de lo que repta» *(Poesía 1070-1985);* «[Un loco tocado de la maldición del cielo]», «El loco mirando desde la puerta del jardín», «El loco al que llaman el rey», «[En mi alma podrida atufa el hechor a triunfo]», «A mi madre», «Himno a Satán», «El lamento de José de Arimatea», «Acerca del caso Dreyfuss sin Zola o la causalidad biológica» *(Poemas del manicomio de Mondragón);* «Réquiem por un poeta», «Edgar Allan Poe, o el rostro del fascismo», «Eta militarra», «Aparición», «Tánger», «La monja atea», «Peter Punk», «Lo que Stéphan Mallarmé quiso decir con sus poemas», «[En mis manos acojo los excrementos]», «Alba», «Ars magna», «La noche de los conjurados» *(Contra España y otros poemas no de amor);* «Territorio del cielo», «Súcubo», «Lectura», «Aparece nuevamente mi madre, disfrazada de Blancanieves», «[Yo François Villon]», «[Hay restos de mi figura]» y «Scardanelli» *(Piedra negra o del temblar).*

Referencias bibliográficas

1. OBRAS DE LEOPOLDO MARÍA PANERO

1.1. *Poesía*

Por el camino de Swan, Málaga, El Guadalhorce, 1968.

Así se fundó Carnaby Street, Barcelona, Llibres de Sinera, colección Ocnos, 1970.

Teoría, Barcelona, Lumen, 1973.

Narciso en el acorde último de las flautas, Madrid, Visor, 1979.

Last River Together, Madrid, Ayuso, colección Endymión, 1980.

El que no ve, Madrid, La banda de Moebius, 1980.

Dioscuros, Madrid, Ayuso, colección Endymión, 1982.

El último hombre, Madrid, Ediciones libertarias, 1982.

Poesía 1970-1985, Madrid, Visor, 1986.

Poemas del manicomio de Mondragón, Madrid, Hiperión.

Contra España y otros poemas no de amor, Madrid, Ediciones libertarias, 1990.

«Fragmento de *Heroína y otros poemas»*, *El crítico,* año 2, núm. 11, Madrid, marzo de 1992.

Heroína y otros poemas, Madrid, Ediciones libertarias, 1992.

Heroína y otros poemas, en Colectivo Leopoldo María Panero, *Los ojos de la escalera,* Madrid, Ediciones libertarias, Alejandría editores, 1992.

Piedra negra o del tamblar, Madrid, Libertarias/Prodhufi, 1992.

1.2. *Prosa*

En lugar del hijo, Barcelona, Tusquets, 1976.
Aviso a los civilizados, Madrid, Ediciones libertarias, 1991.
Palabras de un asesino, Madrid, Libertarias/Prodhufi, 1992.

1.3. *Ediciones y traducciones*

Lewis Carroll, *Matemática demente,* Barcelona, Tusquets, 1979.
— *La caza del snark,* Madrid, Ediciones Libertarias, 1982.
Edward Lear, *Limericks,* Madrid, Visor, 198?
James Matthew Barrie, *Peter Pan,* Madrid, Ediciones libertarias, 1987.

2. ESTUDIOS SOBRE Y ENTREVISTAS CON LEOPOLDO MARÍA PANERO

BARELLA VIGAL, Julia, «La poesía de Leopoldo María Panero entre Narciso y Edipo», *Estudios Humanísticos. Filología,* número 492, Madrid, 1984, 123-128.

BENITO FERNÁNDEZ, José, «Leopoldo María Panero, seguro de haber muerto», *Los Cuadernos del Norte,* núm. 52, Oviedo, diciembre de 1988.

BLESA, Túa, «El laberinto de los espejos», en *Tropelías,* núm. 1, Universidad de Zaragoza, 1991, 43-63.

— «El silencio y el tumulto», *Cuadernos de Investigación Filológica,* XVI, 1991, 89-107.

— «Leopoldo María Panero, el último poeta», Ponencia presentada en el Symposium sobre *La poesía spagnola oggi: una generazione dopo l'altra,* Nápoles, 12-14 de diciembre de 1991. Inédita. De próxima publicación en las actas del Symposium, bajo la dirección de Mario di Pinto.

CANDEL VILA, Consuelo, *La alternativa metapoética de los años setenta. La propuesta discursiva de Leopoldo María Panero,* Tesis de Licenciatura (inédita), Universidad de Valencia, enero de 1992.

Casani, Borja, y Tono Martínez, José, «El último intelectual que se comió el tarro: Leopoldo Panero. Sanatorio de Ciempozuelos», *La luna de Madrid,* núm. 1, Madrid, noviembre de 1983.

Domínguez, Gustavo, «Leopoldo María Panero», en *Diez años de poesía en España, 1970-1980. La moneda de hierro,* números 3-4, Madrid, 1980, 85-89.

Fraile, Eneko, «El poeta solo. Entrevista con Leopoldo María Panero», *Quimera,* núm. 93, Barcelona, octubre de 1989.

García Fernández, Eugenio, «Introducción» a L. M. P., *Poesía 1970-1985,* Madrid, Visor, 1986, 7-26.

Gimferrer, Pedro, «Nota a la edición» a L. M. P., *Por el camino de Swan,* Málaga, El Guadalhorce, 1968.

— «Notas parciales sobre poesía española de posguerra», en Pedro Gimferrer y Salvador Clotas, *30 años de literatura española,* Barcelona, Kairós, 1971.

Haro Ibars, Eduardo, «Leopoldo María Panero», *La luna de Madrid,* 4, Madrid, En las ciudades, enero de 1985.

Mas, Miguel, «Una lectura generacional sobre la destrucción. Notas acerca de *Narciso,* de Leopoldo María Panero», *Ic&L, Nueva época,* vol. 1, núms. 1-2, Minneapolis/Valencia, 1985, 194-206.

Mesquida, Biel, «Leopoldo María Panero nombra y recita los protagonistas de la revolución», *El viejo topo,* núm. 5, Barcelona, febrero de 1977.

Miró, Emilio, «Leopoldo María Panero y sus poemas del manicomio de Mondragón», *Ínsula,* 494.

Saldaña Sagredo, Alfredo, «Leopoldo María Panero, poeta vitalista», *Turia,* 11, Teruel, 1989.

Sánchez Cámara, Ignacio, «Viaje a la locura», *ABC,* 5 de enero de 1991.

3. Estudios y antologías sobre poesía española de la generación de 1970

Amorós, Amparo, «La retórica del silencio», *Los Cuadernos del Norte,* año 3, núm. 16, Oviedo, noviembre-diciembre de 1982.

— «Dos esencias características de la poesía contemporánea: la crítica del lenguaje y la poética del silencio», en *Mis tradiciones. Poéticas y poetas andaluces,* 3.º Encuentro de poetas andaluces, Córdoba, Publicaciones del Excemo. Ayuntamiento, 1988.

— «Los novísimos y cierra España. Reflexión crítica sobre algunos fenómenos estéticos que configuran la poesía de los años ochenta», *Ínsula,* 512-513, agosto-septiembre de 1989.

— *La palabra del silencio. (La función del silencio en la poesía española posterior a 1969),* 3 vols, Tesis doctoral presentada en la Universidad Complutense, Madrid, septiembre de 1990. Publicada en un volumen por la Universidad Complutense, 1991.

ASENSI, Manuel, *Para una teoría de la lectura: propuestas metodológicas a partir de la generación «novísima» española. El caso de Antonio Martínez Sarrión,* Tesis doctoral (inédita), Universitat de València, julio de 1986.

BARELLA, Julia, «Poesípa en la década de los 70: en torno a los novísimos», *Ínsula,* 410, 1980.

— «Sobre la poesía de los 70», *Ínsula,* 498, 1988.

BARNATÁN, Marcos Ricardo, «La polémica de Venecia», *Ínsula,* 508, 1989.

BOUSOÑO, Carlos, «La poesía de Guillermo Carnero», en G. C., *Ensayo para una teoría de la visión. Poesía (1967-1977),* Madrid, Ediciones Hiperión, 1978. REcogido, con ligeros añadidos, en su libro *Poesía postcontemporánea,* Madrid, Júcar, 1985.

BATLLÓ, José, *Poetas españoles postcontemporáneos,* Barcelona, El Bardo, 1974.

BRINES, Francisco, «La inclusión del título en el poema», *Ínsula,* 310 (1973), 4 y 7.

— «La heterodoxia generacional de Luis Antonio de Villena», *Ínsula,* 394 (1979).

CARNERO, Guillermo, «La corte de los poetas. Los últimos veinte años de poesía española en castellano», *Revista de Occidente,* 23 (1983), 43-59.

— Respuestas a la encuesta de *Ínsula,* 337 (1974).

CASADO, Miguel, «Líneas de los *Novísimos*», *Revista de Occidente,* 86-87, julio-agosto de 1988, 204-224.

CASTELLET, José María, *Nueve novísimos poetas españoles,* Barcelona, Barral Editores, 1970.

Debicki, Andrew P., «Metapoetry», en Margaret Person *et al.*, *Metaliterature and Recent Spanish Literature, Revista canadiense de estudios hispánicos,* 7-2, 1983.

Falcó, José Luis, y Rubio, Fanny, *Poesía española contemporánea. Antología 1939-80,* Madrid, Alhambra, 1981.

Falcó, José Luis, *La mirada caleidoscópica. Historia de la poesía de postguerra a través de las antologías,* Tesis doctoral (inédita), Universitat de València, septiembre de 1986.

García Berrio, Antonio, «El imaginario cultural en la estética de los ⟨novísimos⟩», *Ínsula,* 508 (1989), 13-15.

García Martín, José Luis, *Las voces y los ecos,* Madrid, Júcar, 1980.

— «La generación del setenta: un recuento y una aclaración», *Zurgai,* Bizkaia, Departamento de Cultura de la Diputación de Bizkaia, diciembre de 1989.

García del Moral, Concepción, y Pereda, Rosa, *Joven poesía española,* Madrid, Cátedra, 1978.

Jiménez, José Olivio, «La poesía de Antonio Colinas», en A. C., *Poesía (1967-1980),* Madrid, Visor, 1982.

— «La poesía de Luis Antonio de Villena», en L. A. de V., *Poesía (1970-1982),* Madrid, Visor, 1983.

— «Variedad y riqueza de una estética brillante», *Ínsula,* 505, enero de 1989.

Lanz Rivera, Juan José, «Etapas y reflexión metapoética en la poesía de Pere Gimferrer», *Iberoamericana,* 40-41, 1990.

López, Ignacio-Javier, «Metapoesía en Guillermo Carnero», *Zarza rosa,* 5, 1985.

— «El olvido del habla: una reflexión sobre la escritura de la metapoesía», *Ínsula,* 505 (1989), 17-18.

Martín Pardo, E., *Nueva poesía española,* Madrid, Escorpio, 1970. Nueva edición con textos complementarios bajo el título *Nueva poesía española (1970)/Antología consolidada (1990),* Madrid, Hiperión, 1990.

Miró, Emilio, «Desde el culturalismo y la metapoesía: Luis Alberto de Cuenca y Jorge Urrutia», *Ínsula,* 468.

Nicolás, César, «Novísimos (1968-1988): Notas para una poética», *Ínsula,* 505, enero de 1989.

Núñez Ramos, Rafael, «Las expectativas de lectura del poema

lírico. Análisis de un poema de Jaime Siles», *Archivum,* XXXVII-XXXVIII, 1990.

PALOMERO, Mari Pepa, *Poetas del 70,* Madrid, Ediciones Hiperión, 1987.

POZANCO, Víctor, *Nueve poetas del resurgimiento,* Barcelona, Ámbito, 1976.

PRAT, Ignacio, «La página negra (Notas para el final de una década)», *Poesía,* 15, 1980.

— *Estudios sobre poesía española contemporánea,* Madrid, Ínsula, 1983.

PRIETO, Antonio, *Espejo del amor y de la muerte,* Madrid, Bezoar, 1971.

PROVENCIO, Pedro, *Poéticas españolas contemporáneas. La generación del 70,* Madrid, Hiperión, 1988.

SÁNCHEZ ROBAYNA, Andrés, *La luz negra,* Madrid-Gijón, Júcar, 1985.

SILES, Jaime, *Diversificaciones,* Valencia, Fernando Torres editor, 1972.

— «Los novísimos: la tradición como ruptura, la ruptura como tradición», *Mitteilungen des Deutschen Spanischlehrerverbands,* 48 (1988), 122-130. Parcialmente reproducido en *Ínsula,* 508, enero de 1989.

SOLNER, G., *Poesía española actual,* Madrid, Visor, 1982.

SUÑÉN, Juan Carlos, «Vanguardia y surrealismo en la poesía española actual. La otra vía», *Ínsula,* 512-513, agosto-septiembre de 1989.

TALENS, Jenaro, «Práctica crítica y reflexión metapoética», en *Análisis semiológico de textos hispánicos,* Salamanca, 1982 (= Universidad de Groningen, 1979).

— «(Desde) la poesía de Antonio Martínez Sarrión», en A. M. S., *El centro inaccesible. Poesía (1967-1980),* Madrid, Ediciones Hiperión, 1981.

4. OTROS TRABAJOS CITADOS

BATLLÓ, José, *Doce poetas jóvenes españoles,* Barcelona, El Bardo, 1967.

— *Antología de la poesía española contemporánea,* Madrid, Ciencia Nueva, Colección El Bardo, 1968.

Brines, Francisco, *Ante unas poesías completas,* véase Jacobo Muñoz (1962).

Calabrese, Omar, *L'età neobarocca,* Bari, Laterza, 1987. (Versión española de Anna Giordano como *La era neobarroca,* Madrid, Cátedra, 1989.)

Campbell, Federico, *Infame turba,* Barcelona, Lumen, 1971.

Carnero, Guillermo, *El grupo «Cántico» de Córdoba,* Madrid, Editora Nacional, 1976.

Castellet, José María, *Veinte años de poesía española (1939-1959),* Barcelona, Seix-Barral, 1960. Más tarde, en versión ampliada, *Un cuarto de siglo de poesía española (1939-1964),* Barcelona, Seix-Barral, 1964.

Cernuda, Luis, *La Realidad y el Deseo,* México, Fondo de Cultura Económica, 1964.

— *Ocnos,* 3.ª edición ampliada, Veracruz, Universidad Veracruzana, 1963.

— *Variaciones sobre tema mexicano,* México, Porrúa y Obregón, 1952.

— «Historial de un libro», en *Poesía y Literatura,* Barcelona, Seix-Barral, 1960.

— «La poesía de Vicente Aleixandre», en *Crítica, lecturas y evocaciones,* Barcelona, Seix-Barral, 1971.

Debicki, Andrew P., *Poetry of Discovery. The Spanish Generation of 1956-71,* Lexington, The University Press of Kentucky, 1982 (versión española en Madrid-Gijón, Júcar, 1987).

Gil-Albert, Juan; Gil de Biedma, Jaime; Villena, Luis Antonio de, *Luis Cernuda,* Sevilla, Publicaciones de la Universidad, 1977.

Gil de Biedma, Jaime, *Diario del artista seriamente enfermo,* Barcelona, Lumen, 1974.

— «La imitación como mediación o de mi edad media», en *AA.VV. Edad Media y literatura contemporánea,* Madrid, Trieste, 1985.

— *El ejemplo de Luis Cernuda,* véase Jacobo Muñoz (1962).

Guillén, Claudio, *Literature as System,* Princeton, N. J., Princeton, University Press, 1971.

Giuliani, Alfredo (a cura di), *I novissimi,* Turín, Einaudi, 1964.

Harris, Derek, «Introducción» a D. Harris, ed., *Luis Cernuda,* Madrid, Taurus, 1979.

HARRIS, Derek, y EDKINS, Anthony, eds., *The Poetry of Luis Cernuda,* Nueva York, New York University Press, 1971.

JIMÉNEZ, José Olivio, *Cinco poetas del tiempo,* Madrid, Ínsula, 1970.

— *Diez años de poesía española 1960-1970,* Madrid, Ínsula, 1972.

MARTÍN PARDO, E., *Antología de la joven poesía española,* Madrid, El pájaro cascabel, 1967.

MAS, Miguel, *La escritura material de José Ángel Valente,* Madrid, Ediciones Hiperión, 1987.

MÜLLER, Elisabeth, «Die Bedeutung der Kunst in Luis Cernudas *Desolación de la Quimera*», *Romanische Forschungen,* LXXVI, 1-2, 202-208.

PAZ, Octavio, «La palabra edificante», en *Cuadrivio,* México, Joaquín Mortiz, 1964.

RAMOS GASCÓN, Antonio, «La literatura española como invención historiográfica: el caso del 98», en Wlad Godzich v Nicholas Spadaccini, eds., *La crisis de la literatura como institución en el siglo XIX,* Eutopías, III-1, 1987, 79-101.

RIBES, Francisco, *Poesía última,* Madrid, Taurus, 1963.

RIERA, Carmen, *La escuela de Barcelona,* Barcelona, Anagrama, 1988.

SILVER, PHILIP, *Et in Arcadia Ego,* Londres, Tamesis Books, 1965.

— «Nueva poesía española: la generación Rodríguez-Brines», *Ínsula,* 270 (1969).

— *La casa de Anteo,* Madrid, Taurus, 1986.

TALENS, Jenaro, *El espacio y las máscaras. Introducción a la lectura de Cernuda,* Barcelona, Anagrama, 1975.

VALENTE, José Ángel, *Luis Cernuda y la poesía de la meditación,* en Jacobo Muñoz (1962).

VILLENA, Luis Antonio de, *Postnovísimos,* Madrid, Visor, 1986.

VOYER, Jean-Pierre, *Introduction à la Science de la Publicité,* París, Champ Libre, 1975.

Agujero llamado Nevermore
(Selección poética, 1968-1992)

CANTO A LOS ANARQUISTAS CAÍDOS
SOBRE LA PRIMAVERA DE 1939

No sentiste crisálida aun el peso del aire
en tu cuerpo aun sin límite no hubo deseos alas
en tu cuerpo aun sin límites ciega luz no sentiste
oh diamante aun intacto el peso del aire.

A lo lejos azules las montañas qué esperan
Por dónde van las águilas cruzan sombras la nieve
Canta el viento en los álamos los arroyos susurran
las luciérnagas brillan en las noches serenas
olor denso a resina crepitan las hogueras
Con antorchas acosan y dan muerte a los lobos
En combate de luces derrotada la nieve
Nada turba al jazmín al aire florecido

Y sus rubias cabezas sobre la hierba húmeda

Son sus ojos azules un volcán apagado
En el viento naufragan sus cabellos de oro
De sus muslos inmóviles tanta luz que deserta

Cómo duele en la sombra desear cuerpos muertos.

La mies amarillea caen a tierra los frutos
Ellos vuelven cansados y no hay luz en sus ojos
Pero los huesos brillan y dividen la noche
Estantigua que danza alrededor del fuego
La hora es del regreso y no hay luz en sus ojos
Salpicaduras al borde del camino cabellos aplastados
La hora es del regreso tened cuidado aguardan.
Las luciérnagas brillan en las noches serenas.

Canta el viento en los huesos como en álamos secos
entra en el pecho silba y ríe en las mandíbulas
entre las ramas flota de un ruiseñor el canto
y como un río el viento acaricia sus cuencas

A lo lejos azules las montañas qué esperan
Una antorcha en la mano de mármol una llama de gas
bajo el arco vacila
Y sus nombres apenas quiebran la luz el aire

Sepultará la tierra tan débiles cenizas
volarán sobre ellas golondrinas y cuervos
sobre ellas rebaños pasarán hacia el Sur
se alzará sobre ellas el sueño de pastores
y desnuda la tierra morirá con la nieve
La hora es del regreso en sus labios asoman
olvidadas canciones rostros contra el poniente

Qué voló de sus labios al cielo y sus ojos azules
qué lava derramaron en qué ocultas laderas

En sus ojos azules se posaba la escarcha
antaño fue el deseo siempre arrancada venda
oh qué fuego voló de sus labios al cielo
aquellos labios rojos que otros nunca olvidaron.

Pero el viento deshace las últimas nieblas
otros creen que es el frío en las manos caídas
Olvidan que la llama no sólo se apaga en sus ojos
que después no es el frío, es aun menos que el frío.

IMPERFECTO

Inclinó la cabeza sobre el cadáver. Sobre el lago: mundos sumergidos. Vio reflejada su propia imagen. En los ojos de Anne, aquella tarde, en la escalinata del Sacre Coeur, no encontró una respuesta. El cielo se llenó de nubarrones, pero no llovería jamás sobre las inmensas praderas de Kentucky. La lluvia resbalaba sobre el cadáver, la gente descendía a nuestro lado sin mirarnos. Algo había en el fondo: una sombra, se movía, parecía mirarnos. Mundos sumergidos. El cielo, alto. Llovía aquella tarde en París y no supimos dónde refugiarnos. No encontró una respuesta. Antes de morir trató de decir algo, acaso un nombre, una fecha. Trató de besarla, ella volvió la cabeza y empezó a hablar rápidamente, de Jim, del «Dragón Rojo». Faltaba poco tiempo para que se despidieran. Al fin llegó la ambulancia, inútil. Era preciso decirle algo, tratar de arreglarlo como fuera. No le contestó nadie aquella noche, en el lago. Nunca llovería sobre Kentucky. Subieron el cadáver lentamente a la ambulancia, como si estuviera a punto de decir algo. Antes de que se marchara, de que abandonara la ciudad para siempre. Mientras, la lluvia resbalaba sobre los cabellos de Anne, sobre su impermeable. Manchado de sangre, se mezclaba con ella, caía sobre el asfalto. Arrojé una piedra al agua. Los bosques. Nací allí, pasé mi infancia en la finca de mi abuelo. Hubo una gran sequía que abrasó los campos. Mi abuelo aún recordaba a los indios. Hablaba mucho, continuamente. «¿Por qué ahora de Jim?», pensó. «¿Por qué precisamente de Jim?» En aquel portal. La sirena de la ambulancia, los titulares de los periódicos, las fotografías, los interrogatorios: inútiles. Una ficha en el depósito de cadáveres. Los museos de cera. Se había olvidado de la pregunta y ahora ella hablaba rápidamente, los automóviles, luces rojas. Mi abuelo, aquella noche, me confesó que siempre hubiera deseado perder la memoria. Un tipo extraño, es viejo, tiene manías. El policía lo golpeó con la culata del revólver. Era imposible que lo hubiese olvidado. Las golondrinas.

ELEGÍA

Los oso de trapo. Los caza-mariposas. Los erizos en cajas de zapatos. Los amigos invitados a comer por primera vez. Cómo ha pasado el tiempo. La noche de Reyes. Expulsado fuera del colegio. No podrá ingresar en ninguna otra escuela. Me pregunto dónde estará aquel traje de Arlequín, que llevé a la fiesta de disfraces. Cómo ha pasado el tiempo.

Noemí. El mundo del espejo. La libertad. El otro Sol. El Oro. Más allá del mar, las Indias. El hombre llegará a la luna, pisará las inmensas praderas nevadas de Venus. Los computadores nunca se equivocan. Luces rojas, blancas, verdes. Subir por el arco iris, conquistar Eldorado.

Destrucción. La emboscada, los disparos, la sangre. Los cuervos heridos bañados por la luz de los relámpagos. La noche sin fin.

LA MATANZA DEL DÍA DE SAN VALENTÍN

King-Kong asesinado. Como Zapata. ¿Por qué no, Maiacovsky? O incluso Pavese. La maldición. La noche de tormenta. Dies irae. La mentira de Goethe antes de morir. Las treinta monedas. La sombra del patíbulo. Marina Cvetaeva, tu epitafio serán las inmensas praderas cubiertas de nieve.

Goya. Los cuerpos retorcidos, contrario a Antonello de Messina. La marihuana.

EL ESTRENO EN LONDRES DE «MARY POPPINS»

Los abrigos, las bufandas. El rimmel. La salida de los teatros, la salida de los cines: Temed la muerte por frío.
    CORO: «Pero temed más bien la ausencia de todo deseo
             Pero temed más bien la ausencia de frío y de fuego.»

LA MUERTE DE ORLANDO

Mucha gente abandona a los animales en los parques. Cuando amanezca el frío habrá acabado con ellos. El policía de guardia podrá escuchar a media noche, el último maullido del Gato Negro, llamando en vano a la Reina de los Gatos.

Las conversaciones. Vd. puede, si quiere, contar anécdotas. Para ello, hay muchos medios de hacerse con un selecto repertorio. Si no encuentra nada que decir, puede encender un cigarrillo. Hay quienes recurren al alcohol, otros a las drogas. Es necesario poseer una magnífica memoria. Ante todo lo que Vd. cuente debe interesar al oyente, porque de otra manera, no habría *conversación*. Evite los *silencios prolongado*. Pero ¿qué gran conversador no ha tropezado alguna vez con un *silencio prolongado*?

ENCONTRÉ SÓLO TELARAÑAS

Encontré sólo telarañas. Viejos valses caídos en los rincones. Encontré sonrisas: de debutante, de condesas arruinadas, de cazadores de dotes. También la sonrisa del Rey, feliz por el regreso de su hijo.

Las Damas de la Caridad se dedicaban a enjaular ruiseñores, para que dejaran de cantar, y una muerte lenta, y así hacerse collares con sus pequeños huesos brillantes.

EL RETORNO DEL HIJO PRÓDIGO

¿No ha mirado Vd. nunca dentro del teléfono? Él si lo hizo, y se dio cuenta de que al otro lado estaban las dos latas atadas por un hilo en Juegos y Pasatiempos del Tesoro de la Juventud. Sí, las latas y el hilo de cobre, se introdujo en el auricular como en un portal oscuro, llegó a su casa, algo tarde para merendar.

HOMENAJE A ELIOT

Claro que el tiempo, o se trataba de un río ρει al fin y al
cabo qué importa eso en un día de luto como hoy para la
Universidad y las aulas vacías; el tiempo, digo yo, había
ido amontonando piedras, como los castores, hasta formar una especie de puente, y yo lo había volado, como el
del río Kwai, entonces, de qué podría quejarme.
Los Honorables mendigos del Sultán cultivaban el arte
de la paciencia. Cubrían sus ventanas con cortinas de color rojo para evitar que la luz del sol llegara a través de
ellas de un modo claro, franco y directo. Decoraban sus
habitaciones con los retratos de otros mendigos, ya muertos, y por lo tanto aún más honorables.
Los Honorables Mendigos del Sultán tenían a su servicio
a otros mendigos —ya se sabe, la división de clases— en-
cargados de las labores doméstica, servir el té, lamentar lo
ocurrido en el caso de que hubiera algo que lamentar,
aunque, naturalmente, por medio de *gestos ad hoc,* puesto
que, como es natural, tenían cortada la lengua y no eran
sordos para las campanillas, el ding-dong y los timbres
pero sí, naturalemente, qué había Vd. pensado, para todo
lo demás. Pero la principal tarea que se les asignaba, es
decir, la razón, el porqué de su vida de mendigos no era
Dios, pero sí algo muy parecido: se trataba de evitar a
toda costa (no bastaban las ventanas enrejadas, los siste-
mas de alarma, los perros, las alambradas, los Al ladrón,
el radar ni los uniformes, que siempre imponen respeto)
la entrada (no la *presencia,* porque —ya lo hemos dicho—
(*hemos* no es plural, impersonal, porque no se sabe quién
lo ha dicho), algo así como Dios, es decir por doquier *es,
está* (y todo lo demás) del Hombre Amarillo.

Margarita y Tony sonríen a bordo de un yate, durante sus
vacaciones en Cerdeña.

Probablemente la tierra se hundiría si yo hiciera esa pregunta. Resultaría agradable, como oír un disco de *THE PINK FLOYD,* otros prefieren Berg, otros que se van de putas, la casa de los 10.000 placeres. Sería capaz de destruir cualquier mente humana, robot, Batman:

¿Por qué no bailar, ahora, el Danubio Azul? No es ésa, claro, la pregunta, pero mientras tanto, mientras me atrevo y no me atrevo, mientras todo sigue girando pero sin caballitos y las luces rojas cierran el camino y los peregrinos mueren de sed antes de llegar a Roma, mientras tanto.
¿Por qué no bailar, ahora, el Danubio Azul?

Se trataba del flautista de Hamelin. Se había llevado todos los niños con su flauta. Hubiera querido que me enseñara a cantar y a bailar, y el Sermón de la Montaña, y los Diez Mandamientos. Pero la ciudad estaba llena de ratas, claro, mientras tanto, y ahora, claro, sin niños. Cuantos partieron en su busca. Visionarios, fanáticos, soñadores. Nosotros, mientras tanto, esperábamos, limpiábamos los ceniceros, arreglábamos un poco la casa. Unos se quejaban de la gota, otros de la guerra. Otros la deseaban ardientemente, héroes, ya se sabe, con el corazón muerto, una noche de verano.

LA HUIDA A EGIPTO

Decidió pasar el resto de su vida dentro de un tubo de plexiglás. Para ello creyó conveniente hacerse con un burro. A eso del mediodía los dos se encontraron en el mundo del plexiglás. Los habitantes entonaron himnos de bienvenida, hosannas, aleluyas. Era, de nuevo, Domingo de Ramos.

LA METAMORFOSIS (III)

Merlín, transformado en hiedra, en el grito de los vencejos.

Oh, Flash Gordon, en qué galaxia tu nave ha encallado...

Y como el mar camino, sin armas, sin escudo.

El patito feo esperó siempre, acurrucado en un rincón de su pequeña habitación, la llegada del Hombre Amarillo. Y, sin embargo, en la escuela le prometieron que, en cualquier encrucijada, el Hombre Amarillo puede tenderte la mano. También le prometieron —sus padres, pobre chico— que algún día llegaría a ser un cisne. Pero sus

plumas perdían, poco a poco, el color y un buen (?) día desapareció sin dejar rastro; quién sabe qué habrá sido de él.

Llueve, llueve sobre el País del Nunca Jamás.

UNAS PALABRAS PARA PETER PAN

> «No puedo ya ir contigo, Peter. He olvidado volar, y...
> Wendy se levantó y encendió la luz: él lanzó un grito de dolor...»

JAMES MATTHEW BARRIE: *Peter Pan*

Pero conoceremos otras primavera, cruzarán el cielo otros nombres —Jane, Margaret—. El desvío en la ruta, la visita a la Isla-Que-No-Existe, está previsto en el itinerario. Cruzarán el cielo otros nombres, hasta ser llamados, uno tras otro, por la voz de la señor Darling (el barco pirata naufraga, Campanilla cae al suelo sin un grito, los niños Extraviados vuelven el rostro a sus esposas o toman sus carteras de piel bajo el brazo, Billy el Tatuado saluda cortésmente, el señor Darling invita a todos ellos a tomar el té a las cinco). Las pieles de animales, el polvo mágico que necesitaba de la complicidad de un pensamiento, es puesto tras de la pizarra, en una habitación para ellos destinada en el n.º 14 de una calle de Londres, en una habitación cuya luz ahora nadie enciende. Usted lleva razón, señor Darling, Peter Pan no existe, pero sí Wendy, Jane, Margaret y los niños Extraviados. No hay nada detrás del espejo, tranquilícese, señor Darling, todo estaba previsto, todos ellos acudirán puntualmente a las cinco, nadie faltará a la mesa. Campanilla necesita a Wendy, las Sirenas a Jane, los Piratas a Margaret, Peter Pan no existe. «Peter Pan, ¿no lo sabías? Mi nombre es Wendy Darling.» El río dejó hace tiempo la verde llanura, pero sigue su curso. Conocer el Sur, las Islas, nos ayudará, nos servirá de algo al fin y al cabo, durante el resto de la semana. Wendy, Wendy Darling. Deje ya de retorcerse el bigote, señor Darling, Peter Pan no es más que un nombre, un nombre más para pronunciar a solas, con voz queda, en la habitación a oscuras. Deje ya de retorcerse el bigote, todo quedará en unas lágrimas, en un sollozo apagado por la noche: todo está en orden, tranquilícese, señor Darling.

BLANCANIEVES SE DESPIDE DE LOS SIETE ENANOS

Prometo escribiros, pañuelos que se pierden en el horizonte, risas que palidecen, rostros que caen sin peso sobre la hierba húmeda, donde las arañas tejen ahora sus azules telas. En la casa del bosque crujen, de noche, las viejas maderas, el viento agita raídos cortinajes, entra sólo la luna a través de las grietas. Los espejos silenciosos, ahora, qué grotescos, envenenados peines, manzanas, maleficios, qué olor a cerrado, ahora, qué grotescos. Os echaré de menos, nunca os olvidaré. Pañuelos que se pierden en el horizonte. A lo lejos se oyen golpes secos, uno tras otro los árboles de derrumban. Está en venta el jardín de los cerezos.

20.000 LEGUAS DE VIAJE SUBMARINO

Como un hilo o aguja que casi no se siente
como un débil cristal herido por el fuego
como un lago en que ahora es dulce sumergirse
oh esta paz que de pronto cruza mis dientes
este abrazo de las profundidades
luz lejana que me llega a través de la inmensa lonja de la
[catedral desierta
quién pudiera quebrar estos barrotes como espigas
dejadme descansar en este silencioso rostro que nada
[exige
dejadme esperar el iceberg que cruza callado el mar sin
[luna
dejad que mi beso resbale sobre su cuerpo helado
cuando alcance la orilla en que sólo la espera es posible
oh dejadme besar este humo que se deshace
este mundo que me acoge sin preguntarme nada este
[mundo de tities disecados
morir en brazos de la niebla
morir sí, aquí, donde todo es nieve o silencio
que mi pecho ardiente expire tras de un beso a lo que es
[sólo aire
más allá el viento es una guitarra poderosa pero él no nos
[llama
y tampoco la luz de la luna es capaz de ofrecer una
[respuesta
dejadme entonces besar este astro apagado
traspasar el espejo y llegar así adonde ni siquiera el
[suspiro es posible
donde sólo unos labios inmóviles ya no dicen o sue-
[ñan
y recorrer así este inmenso Museo de Cera
deteniéndome por ejemplo en las plumas recién nacidas
o en el instante en que la luz deslumbra a la crisálida

y algo más tarde la luna y los susurros
y examinar despés los labios que fulgen
cuando dos cuerpos se unen formando una estrella
y cerrar por fin los ojos cuando la mariposa
próxima a caer sobre la tierra sorda
quiere en vano volver sus alas hacia lo verde que ahora la
[desconoce

LA CANCIÓN DE AMOR DEL TRAFICANTE
DE MARIHUANA

«...y la gente buscaba las farmacias donde el
amargo trópico se fija.»

FEDERICO GARCÍA LORCA

Y para qué morir si en los barrios adonde
el carmín sustituye a la sangre
nos dan por 125 ptas. algo que según dicen es un sucedá-
                              [neo de la miel
aunque a veces contiene pestañas ahogadas en ella
que hay que separar cuidadosamente antes de usarla
¡una pata de pájaro por veinte duros! OCASIÓN el hueco
que tanto necesitábamos para meter en él nuestra enorme
                                        [cabeza
y en el espacio de dos horas no oír más que el ruido que
                                [ella misma produce
(algo así como un río de lodo)
qué es lo que esperan, qué es lo que esperan para desen-
                                        [terrar
los pedazos de vidrio de colores que la arena se ha
                                        [tragado
o los caramelos que al pasar por sus intestinos se convier-
    [ten en algo nada grato al tacto, al gusto y al olfato
o los perros con que jugábamos en la esquina mientras los
                    [autos al pasar nos llenaban de barro
todo en fin, las flechas y verbenas
y todo por tan poco precio, señores, por tan poco precio
un viejo Arlequín bailará en sus pupilas
una serpiente con muletas anidará en ellas
un viento, quizás, lo reconozco un poco cansado y con
                              [ganas de irse a su casa
tratará de limpiarle a Ud. los ceniceros
y todo por tan poco precio, señores, por tan poco precio

DESTRUKTION FICTICIA

Offen, wie Abwehz und warung,
unfeBlichez, weitang.

Rilke: *Séptima Elegía*

La sin nombre, la de los muchos nombres, y ninguno, quebrantó todas sus promesas que yo heredara como una misión y en las que fácilmente se confía si se leen los diarios, o anuncios de un jardín comerciable, cuando me pareció la puerta del delito difícilmente franqueable y por ello meritorio su acceso, y al otro lado, no ya el cuervo sobre el busto de Palas, es decir, un doble fondo en ausencia de un fondo, sino un jardín a la vez público y privado, único, y otra redención (que no fuera ésta) de nuestra soledad, de nuestra unicidad, por intermedio de la duplicidad que así en el pecado como fuera de él estaba asegurada por postales, corazones trazados con tiza en los muros que ocultan solares vacíos, es sabido que las lentejuelas fingen (o inventan) el infinito; cuando lo fingen (no lo inventan) la luna figura en postales —el más frágil correo— y no en lápida indestructibles como cuando el caso que nos ocupa, aunque ocupa, ya no nos ocupa, nosotros que hemos desleído el babeante mensaje del cordero, su belar ilegible por causa de la b, que obstruye pegajosas lianas que el machete la selva estructura o depone e instaura en su lugar

la montaña azul
a lo lejos y siempre lejos ciervo
de asir imposible no de capturar, que
nos aferra.

Hemos puesto una v donde dice «belar», y una z en sentido absoluto, sin referirse a nada ni a nadie; y hemos degollado al cordero (la lana no abriga, es falso): como la flecha imaginaria que atraviesa el corazón no para herirlo sino para asesinarlo y una vez muerto sustituirlo por otro grabado y no en un muro dibujado con tiza.

Y ya de púas, la púa defendida, la flecha imaginaria acaba con el imaginario arquero.

Y otro arco se tiende en actitud de disparar y no dispara, finge bala de plata, el estallido de la pólvora y una nube de ella parece que, sin embargo, a nadie hiere, porque a nadie atañe, porque la bala no encuentra blanco, porque la flecha ha atravesado la manzana y blancos y tenaces los gusanos la han vaciado, con paso seguro sobre este puente inseguro, aunque indestructible de mí (que lo atraviesa) no se cuida.

Prosigamos con aquello que sólo prosigue (no en mí), no en vano es la palabra *más* su único posible retrato o mejor fotografía en picado de una muchedumbre, de los revoltosos a las puertas de palacio: yo no sospechaba una traición tan radical, y menos aún que no fuera una traición pues no iba dirigida claramente contra mí, el traicionado, y por consiguiente nadie había sido traicionado. Pero una vez el asesinato callejero anónimo perpetrado, me decidí a inscribirlo a la inversa en mi álbum que tampoco me pertenece, dado que desde entonces carecía de padre y madre, pues no me era desconocido que el hecho de inscribirlo, forzosamente a la inversa, equivalía a un asesinato, a una traición tan radical como aquella de la que había creído ser objeto, y que aun no estando al igual que la anterior a nadie dirigida era sí una traición pues lo estaba a todos, de la que me enorgullezco, pues el odio es la mayor de las virtudes y abandonando la vía pública, puse un punto y aparte en una carta que no se engaña sobre su destino, es decir, que sabe, aunque destinada, que carece de destino. He aquí el sarcasmo: una carta que reniega de su destino, desarraigo del forzado compromiso con quien nos ignora, con quien se sirve fatalmente de nosotros, pese a nuestra repugnancia, a la repugnancia que a este papel inspira todo contacto.

Juana de Arco es obligada a exponer su martirio para salvarse del martirio. Ya no es martirio si en la hoguera,

quema carne y madera que queman,
                                    y el hielo
del frío cura, de otras hogueras sus mismas cenizas nos li-
bran, y echan en ella (en la hoguera que nos salva) todas
tus patas de sapo.

EL CANTO DEL LLANERO SOLITARIO

The are almost no friends
But a few birds to tell what yoy have done.

LOUIS ZUKOFSKY

1

Verg barrabum qué espuma
Los bosques acaso no están muertos?
El libro de oro la celeste espuma los barrancos
en que vuela una paloma

en el árbol ahorcado está el espejo
palacio de la noche, fulgor sordo
a las ondulaciones peligrosas
voracidad se interrumpe y el silencio nace
vaso de whisky o perlas
(y en resplandor la penumbra envuelta)

                                      las hadas

dulces y muertas sus vestidos sin agua
M preguntó a X
X no le respondió

la masa de un toro queda anulada
por la simple visión de sus cuernos
cubiertos de nieve: montañas
a las que el ciervo va a morir
   cargado de toda su blanquez

                           los fantasmas no aúllan
—Y
   :
     peces color de cero absoluto

O bleu
     en un lugar vacío me introduje
estaba oscuro hasta que ya no hubo luz
soledad del anciano, tercere é bello.
Verf barrabum qué espuma
               reencarnación
en lo dorado de mi pensamiento
                   Alicia
                      Verf barrabum
qué hago
     ves la espuma inmóvil en mi boca?
aquí solo a caballo Verf barrabum qué
hagoaliciaenelespejoven
aquí a mi palacio de cristal: hay ciervos
cuidadosamente sentados sobre alfileres
y es el aire un verdugo
impasible. (Tacere é bello Silentium
                       Verf
qué hago muerto a caballo
                       Verf
alto ahí ese jinete que silencioso vuela
contrahecho como un ángel
caen del caballo todos los jinetes
         y la cigarra: $\alpha\pi\alpha\theta\eta\zeta$
         en el verde que tiembla
         luz que de la inmovilidad emana
         luz que nada posee
y el enmascarado usó bala de plata
punteó la tiniebla con disparos
                  y dijo:
a) fantásticos desiertos lo que mis ojos ven
b) barrabum: bujum
c) la llanura muy larga que atravieso
con la sola defensa de mi espalda
d) mi mano no es humana.

esplendor de cristal en la llama de una vela
Osiris muerto es sólo tres al cubo
yaciendo en la oscuridad (oscuridad de piedra)
Snark,
destruye a Bujum
(con su plumaje afilado a la manera
de un cuchillo, con sus uñas separadas del cuerpo, con
sus dientes sagaces que ya no mastican carne humana)
Snark = Verf (y ya no barrabum)
la sangre de Carlitos
está en la pared secándose
(tiene un perro muy fiel de granito)
la sangre de Carlitos
                              Verf
pero en especial su aliento amarillo
la enfermedad es aún movimiento, pero la mía está
                                              [inmóvil
indecisión, y la mía es firmeza
arde en la noche un rancho
en la soledad invernal, las
cabalgatas en el desierto
llueve en el invierno, la oscuridad es un círculo
por el laberinto de la máxima destrucción
sortijas de oro en el crepúsculo
dijo el pájaro: sígueme
ese bosque que no acaba ni empieza
en donde estoy perdido
extraviado en una claridad
esa montaña de la que no hay retorno
tiranía de la nada
«No hay acontecimientos personales» decía E.H.
mientras los hongos crecían a sus pies
laberintos de nieve realidades sin peso
castillo

   Verf
     y no Bujum.
Pompas de jabón en tabletas
Verf
Animales de contornos mágicos
vide Carroll
(el huevo con rostro humano) the rain
in the plain bajo el sol las cadenas
el sepulcro de Sitting Bull
los pájaros
que no existen
el manicomio lleno de muertos vivos
el manicomio lleno de muertos vivos
el manicomio lleno de muertos vivos
Estas flores son cadenas
y yo habito en las cadenas
y las cadenas son la nada
y la nada es la roca
de la que no hay retorno
(mas si no se ha vuelto es porque tampoco
nunca se ha ido) y la nada es la roca
la nada es música
de la que no se vuelve
una pastilla de jabón venenosos arcángeles
y Fedor Tjutvec sonreía
en una niebla incierta, también llamada Verf
barrabum qué espuma

golpeará después los huesos de mi boca.

3

Dormir en un algodón y el canto de las sirenas
y el león en invierno y los pájaros (volando en círculo)
que no existen
     y las flores del ártico
y Urana
perfectamente desmayándose
       sin manos

minimización del ritmo en favor de una escritura
de la profundidad en favor de la superficie
del símbolo en favor de la imagen
y Santo Tomás (o era Aderman?) lloraba
rey difunto conquista el cielo
las estrellas ya no serán ojos
sino luminosa opacidad

SEÑOR DE LAS FORMAS

fragmentos de una conversación con el crepúsculo
dormir en un algodón
una vez muerto, o cielo
las estrellas no serán ojos
sino tinieblas clarificadas, o clavos
en los ojos

       y las ostras
no esperaban a nadie en el fondo del mar (las llaves)
como un muñeco sin brazos cuando oscurece
(asesinaba por medio
de una cámara fotográfica) la palabra
está devaluada, flora en el vacío
y son torpes sus pasos, perezosa
como si fuera agua, así es preciso
acrisolar su destrucción
en una nueva extensión lingüística
negadora del agua, de las formas babosas
de lo informe, de lo vago o disuelto
en una nueva extensión no acústica (que será el mar)
en que no habrá Prose (y será entonces una prosa aparen-
                [te, purificada de todo lirismo)
ni poema, sino piedra (y será entonces una poeticidad no
enemiga, pero al menos sí ignorante de la prosa
rebasando fronteras de hielo
en una superficie única
no dependiente de lo designado, ni de ninguna otra ley
(asesinaba)
construyendo (a
sesinaba) sus propias leyes
como un castillo en el vacío,

4

Las llaves de una puerta que no se abrirá nunca
en el fondo del mar
negación de la ola, fragilidad inmensa
las noches son frías en Marruecos, lo decía O.
(a quien también gustaban las ostras) los pájaros
como Gulliver clavando por medio de estacas, o vampiro
en el fondo del mar
                        el terciopelo
cantaba una amarga, endurecida canción
caía nieve del cielo
o como si lloviera piedras
que dan el sueño, perlas
color de fuego, fuego
en que arde la bruja: bruja
de chocolate: son frías
como el fuego
llama de cristal (de lo vencido
nace un resplandor, o flores
                        hongos
                        Ulm
ganó en la batalla todo menos su vida
que hubo de perder para ganarla Ulm
vivía en los bosques y muerto el leopardo
que defendía (junto con el lobo, y un tercer animal
de cuyo nombre no quiero acordarme)
la entrada a la montaña, y los árboles cortados
vaguedad precisa si no se quiere
flotar lo mejor es hundirse aquellos ojos
de ahogado que ya no miraban
quizá porque veían (con los huesos
de un ahogado puede hacerse un pastel
                                    con los huesos
con una planta carnívora Ulm
derrotó a ejércitos armados tan sólo de caballos
groseros y móviles la espada

la espada
        (espaldas
antiguas sollozan entre las ramas   Espada
en la roca, o nudo
luna torre espejo
mudo
ya no era un mono dame
tu mano niño de cabellos verdes
que no tienes manos.

5

Hay que conquistar la desesperación
más intransigente
para llegar a las formas más duras y más vacías
para construir nuestro castillo
jugar a fantasma
                naranjas
ruedan por pendientes que parecen no tener fin
sin caer nunca ruedan
ruedan por pendientes
que parecen no tener fin.
                        Bebía té verde
pero fue un mono quien lo destruyó
bebía té sentado
en el monte Taishan, y lo miraba todo desde el puente
que une la tierra con el cielo, sólo desde ahí
podía mirar al río, podía
com mirada lejana ver transcurrir al dios pardo
Cadaver aqua forti dissolvendum, nec aliquid
retinendum. Tate ut potes,
el baile
Curwen debe morir, bandera negra, not
of meat bleeding, blanca
(el espanto
que produce la blancura, su inhumanidad
demasiado evidente, un laberinto
más atroz era el desierto

donde reina el dios muerto
un laberinto era la misma nube
en que agoniza el rey, la cera derretida, el golem
oh nube
que has matado al rey
que, como Ulm, sólo así vive, vencedor
de batalla que nunca se dio,
señor de su derrota oh nube
que has matado al rey.

                              espejos insomnes
lámpara acribillada de alfileres

DISUELTO CON ÁCIDO, Y NADA
DEBE QUEDAR
                    polvo azul
en las salas vacías de los hospitales
Errdick no dormía pero estaba
atado a su lecho
y su cabellera se expandía
Errdick, el no nacido de mujer
Errdick, Errdick, Ulm verf
                         qué espuma
arde en esta copa, plantaciones en el aire
larga oración sobre el silencio
y la tragedia como dureza
enemiga del dolor, pálido y espumoso
espuma
fuera de la ola aislada
de toda corriente, incluido el dolor
que es frío pero no lo bastante
espuma pero no cianuro
esparcido en sendero no hollado
                              Jano
significa dolor o piedra
yo, enemigo del dolor
vanidad que saquea, dijo el viejo (muerte del sol)
oh tesoro de hojas caídas, crepusculares ciervos
qué se hizo de mí
sollozando como Ossian desde una roca

aunque mis lágrimas ya no sean nada.
                                    los cactus
los vegetales sentimientos, la flor que habla,
                                        los niños
escondidos en la sombra,
                            la danza
de los niños de piedra
derrota triunfante
esplendor de cenizas, esplendor
esplendor esplendor
en la puerta del paraíso
la nada que vigila
sólo vigilar sabe, amor
de las cosas escondidas
lleváronse las ratas y los niños
y por fin arribamos a la isla
en que Penélope tejía destejiendo
incorruptible oro, la luna o el diablo
y por fin arribamos a la isla. En la caverna
había un cíclope que dijo Verf
y en una copa ardiente dijo que estaba solo
con su único ojo nada que vigila
vigilar las sombras el hielo está desnudo
vigilar las sombras y las muñecas
que se desvanecen.

6

Vinum Sabbati (espada
destruye a copa)
Seth, el comedor de muertos
                        luz, esfera
gotear impasible de los cirios
                        (SIPHER, SEPHORA
sobre el altar vacío
                        SWORDM AUTUMN
espada sobre el otoño
                        SOLO

AQUELLO QUE NO EXISTE
NO PUEDE MORIR

                              (y una absurda pregunta
que frágilmente enciende
las desiertas avenidas:
Elena, José Sainz y Eduardo y Ana
y Heli de los labios inmóviles, V. O. finalmente
tardía aurora parecida a un estertor
(they all go)
cuchillada final sobre abril moribundo
                                        (they all go
into de darkness
                        y el amor
tentacular acogió entre sus brazos
a seres indecisos entre la oscuridad y la luz
(the vacant into the vacant) NADA
Luis Ripoll, José Sainz, o Eduardo o Ana
desaparecidos como serpientes
                              NADA
excepto la muerte
para salvarnos de la muerte
                              (nos abrazábamos
en la casa abandonada
                        no sabiendo
que no es posible deducir
                        (la luna y los susurros)
emociones de la noche
                        nombre de Dios, Muerte
                              y las ratas
muertas en la montaña (no sabiendo)
el músico de Saint-Merry, las mujeres crucificadas
la mujer que así muerta dio lugar a una flor
aquella que creyó amarme
                        y las flores del ártico
(elles n'existent pas)
la blanca marea se llevó los despojos
Luis Ripoll, y Edudardo quizá, y verosímilmente Ana
Ana, Ana, Ana (sólo es posible repetir su nombre,
                        es lo único que sé de ella)

te has quedado SIN OJOS
Ana, Ana, Ana (y la blanca marea
y abolido el mar, las bolas
de cristal se multiplican
                         O Sphere
sin ocupar espacio
                    Ana, Ana, Ana
te has quedado sin ojos
—Ana sin ningùn ojo—
                              celle
qui crut n'aimerqui crut n'aimer
                         gritó el conde DEJAD
EN EL ESPACIO EN BLANCO DE PESTAÑEAR
                    nube torre espejo
(espejo donde no hay ojos)
                              Carmilla
si miras al espejo, tú allí no estarás
(fuera de este papel tu nombre, Lenore
Ana: tú no estarás
esfera, espejo:
                    tú no estarás
y la muerte no sueña
y la muerte no es sueño, o si es
sólo es sueño en blanco
                         Ana: tú no estarás
(que para llegar al Oro
la Espada rompa la Copa:
                    tú no estarás
(CUP = SUMMER
                    enterrad la primavera
                    PENTACLES, WINTER
                              en el invierno
TÚ NO ESTARÀS
                    en el invierno
abandonad los largos corredores, y vuestros pasos
que heredaron en vano el silencio
                              vuestros pasos
ya no existen en el tercer tramo
si abrazamos un cadáver

                              (tal vez fuera un súcubo)
y, Elena, José Sainz, y Eduardo o Susana
y Heli de los labios inmóviles, V. O. finalmente
(debilidad de una oveja frente al sol moribundo)
Are you washed in the blood of Lamb?
y Elena y Luis Ripoll y el demonio encerrado
o muñeco sin brazos?
                              en la botella inmóvil
o Maenza o Hervás (a. La Bola)
(Seth, el comedor de muertos)
Sheila Graham, la luna o el diablo
destruye el 6, destruye el 2
La segunda esposa
(como moscas matar a los recuerdos)
y Eduardo y Luis y la lluvia en el rostro
Susana (como moscas), José Sainz
y Elena, y el apodado Humo
                                   (y los niños de piedra)
y la lluvia construye ciudades
                         —revólver de cenizas—
hay jardines en medio de la lluvia
                                   las palabras azules
no muerden el anzuelo
y palacios hechos sólo de lluvia
                         —las palabras azules—
la mano muerta que yace en el vaso
                         —mi mano no humana—
                         DIRECCIÓN SUDESTE
Aire o fuego, nunca tierra o agua
y Elena —uacer— en qué lecho?
se apagó el sonido de las ranas
mientras el cadáver sin un grito cae
en la montaña donde ya no hay viento
                                   (mehr licht
dijo, tumba, Goethe
                    LUZ
                    NÚMERO
                    PALABRA
(muerto el leopardo)

LUZ
(cásate contigo mismo)
                    SAOHER
                    SIPHER
                    SEPHORA
(tú no estarás).

                    7

M
a.t.a.: incendióse
monstruos sin tamaño
                    M
m,m,m
        adre
de los dioses, sagrada noche
mirada que perfora, mirada que destruye
M, m, a, t, c,
        Adiós sol

ιαλλ ιΑτιοηυ κηιοεμιονι ειυριομεθα

mujer entre la nieve
geométricos los buitres
avanzan sobre cadáveres
amontonados en la terraza

                    8

                    1871

La paciencia es un arte
                    o pesadumbre
macizo montañoso,
y los calendarios inexistentes
                    Quieres un padre?
                    No, gracias,

nuestros hijos también murieron.
Y alguien (en el jardín, en el crepúsculo de metal
«la novida es un estado de disolución
del yo en vida, aun cuando algunos
no exactamente lo hayan identificado con la muerte
causa de la escritura y también su resultado»
y los cristales cantaban
                              a heladas fuentes
dejando sólo un laberinto de ecos
                                          un fantasma no aúlla
y en el cráter del Etna
                      that is cold
                      las fotografías la luna
sistema de muertes tierra
en donde el deseo no existe

ciudad-estrella
            Zagreus
Ven, fuego
            The blood's tide like the music
y el eco de los muertos disparos.

                              9

Toda perfección está en el odio
de ojos blancos (si el odio
es amarillo
            yo soy amarillo
y he abandonado el río de ojos verdes
(descorcha pues la botella de Medoc
antes de morir
                  y que el sonido
                  azul haga en tus ojos (verdes) el vacío:
                  el negro en una celda, el frío en la bodega,
                  la tos de
                        Fortunato
                  (no soporto su alegría), los cascabeles tras
                  de la piedra

inmóvil, las invisibles arañas que forman
sus telas entre
una y otras botella (de manera que éstas
sean al final un
todo que Fortunato, con su tos, no logra
conmover:
la tos de Fortunato, el frío en la bodega,
los pasos a lo
largo de inútiles (ya lo he dicho) corredores el negro en la bodega
quizá muerto, en todo caso no interesa
el río sino las piedras que nos sirven
para atravesarlo: recompensa sin riesgo,
abolido el peligro en una celda, etc.:
cablegrafíame (acaso) si llegas al Sudeste
donde mi padre viaja sin maletas ni ojos
sin interés, ya muertos, firmemente
hacia el ocaso: ciudad en las montañas,
rigor en la locura-cuchillo de cristal

                           donde
                          [está
pues el amontillado? más allá
pero ahora prueba, mientras tanto
este otro vino dorado
antes de morir
          tiburones de nieve
                  y la mano
que sobresalía de la tumba: cabeza
separada del cuerpo, tronco inútil: y Fortunato dijo
cuál es tu escudo?
monte azul sobre campo de oro
sólo hay un heroísmo
entre las rocas, y es el odio
es el odio lo único
que me une a ti
          mi amor ha muerto y un gato
espía su muerte, espía su nada
y las lágrimas al caer se transforman en piedra:
la tumba de Midas:

                         hizo un signo
oh, yo también construyo casas,
                                      pero bebe
de esta botella (en que habita el diablo)
antes de morir:
toda perfección está en el odio
y el odio es todo lo que me une a ti
en la Fase Etérea
no hay ya rencor, sino odio
en la Fase Etérea
el odio es todo lo que me une a ti
(la tos de Fortunato, el frío en la bodega)
                         D
el odio es todo lo que une a ti
(y a la Fase Eléctrica)
mis amigos y yo somos como peces
                                   y no hay amigos
en la pecera (tumba del diablo
                              Fortunato:
no hay amigos
si caminas sobre la nieve
en dirección Sudeste
(Euphoria está ya muy lejos, y sus tristes hábitos
y sus dedos de herrumbre
que amontonaban sapos
quién sabe con qué fin:
Euphoria está ya muy lejos: no mires atrás
              Ven, Fortunato, ven
a través de más funestos corredores
e igualmente inútiles y sin recompensa
pero en los que al menos al dolor no existe:
los fantasmas no aullan
y las lágrimas al caer se transforman en piedra
deja pues Euphoria y ven conmigo
hacia el blanco que no es dolor mi gozo
—un *reino blanco*—
Madonna sin pasado ni futuro
Fuera del tiempo, Fortunato, ven
Garfio ha matado al cocodrilo, ven

al castillo que un foso sin agua defiende
(en los banquetes egipcios un esqueleto
cubierto por un velo presidía la mesa
　　　　　　(los falsos escudos
serapn nuestra única verdad
　　　　　　　　　　ven,
　　　　　　　　　　　　　Fortunato, ven
donde la oscuridad no deja ver sino la luz
　　　　　El Vigilante de la Balanza
　　　　　　　WAU
Caballero de la negra armadura
blanca, ven
y veraps a la Reina Acida
cuya muerte nos alumbra:
　　　　　　　　　　Ven
que sólo el eco responda a tus pasos
WEIMBRAND　　　　　　　LACHRIMA CHRISTI
SOTERN　　　　　　　　　RENE BARBIER
SAINT-EMILION LANGUEDOC　　MOSELLE
MEDOC　　　　　　　　　　αχαϛτον
CHIANTI　　　　　　　　　CUNE
A través de más funestos corredores
hacia una puerta cerrada, ven
que no se abrirá nunca, y más allá
sin embargo, habitaremos, más allá
donde está el amontillado (el más allá
en una botella, muñeco sin brazos ni piernas—
tos de Fortunato, el negro en la bodega—
(Fortunato cubierto de gotas de yodo
ha desaparecido
　　　　　　　(El Infierno es el agua,
　　　　　　　　　　ven
(mientras sólo el eco contesta a tus pasos
cuchillo = necesidad = destino
　　　　　　　　　3
la noche es llama, los animales huyen
　　　　　este bosque en cenizas
　　　　　　　　　　XV = destino
Toda perfección está en el odio

104

Y alrededor de Kali cantaban los ladrones
Infierno, lago de fuego
romped todas las copas
para que nazca el Hijo: Wau
dorado escarabajo que en mi estuche encierro
para que nazca el Hijo:
cierra tu corazón, y escucha
oculto en la gruta, escucha
como muero
                    yo
(el sonido de las olas es semejante al silencio
oculto en la gruta escucha
el resplandor azul:
yo miento en el cielo
(oculto en la gruta, escucha:
la montaña nace
para no morir jamás
(mide la ruina, el color rojo olvida
                                              MATZ
para que nazca el Hijo
la distancia es azul
azul de las montañas, azul
(el cuerpo de Sócrates se disuelve
en una bañera de agua
azul
      la muerte es una moneda
                              Fortunato, comercia
con tu dolor: sólo de esta manera
acabarás con él,
                    y al morir tu dolor
en la pecera (sin amigos) ven
a la vacía respuesta, al azul
en la piedra, a la mentira helada,
Fortunato, ven
                    y bebamos
juntos de esta botella de Medoc
                    (en que el diablo se esconde)
antes de las cadenas y la muerte

y los pasos resonaron
hasta que el eco ocupó (definitivamente) su lugar
                FOR GODSAKE MONTRESOR
(y cesó el annáspare)
                        y una viñeta en negro
y un confuso rumor de cascabeles
                                (enterrad al bufón)
                tras de lapiedra inmóvil.

                        10

Furiosa (e inmóvilmente) me arrepiento de mi vida
madera por madera (el castor se suicida)
sin cabeza inventar un nuevo baile,
                                ma
dera por madera, gestos o baratijas
(no comerciar con los indígenas)
arrojadas en vano al crepúsculo
mi vida en donde nunca encontré un signo
(dejo su explicación a otros
                        y me arrepiento,
me arrepiento de mi vida
(destejer este vestido
madera por madera, y para siempre
desnudos o el rey de invisible vestido
me arrepiento (desnudo y para siempre) de mi vida
y que mi arma sea la pobreza
                        mi castillo el no-ser
(desnudo me arrepiento de mi vida)
Penélope desteje
no hay nadie en la ventana
                        SIN
más (y no más)
construiré en el desierto mi ciudad
me perderé en un laberinto de gusanos
                                (per
dida isla que a nadie interesa
                        per

dido en el bosque y no volver jamás
(cuida del no)
                       per
dido en el bosque me encontré
perdido,
inexistente
              en un resplandor
                              (tiene el diablo
los ojos verdes
                  queda sólo el marfil
sobre la mesa UNA DI QUELLE
SFERE DI CRISTALLO IN CUI SI VERDONO I
FIOCCHI
DI NEVE CADERE SU UNA CASETTA
I NOBILI PORTANO LA CORAZZA
OVVIAMENTE I BAMBINI NON SI SPOSANO
                  necesaria es Usura
para que nazca el Hijo
despojarse de la vida,
triunfar muriendo de la muerte, etc.
Cuán verde es el cadáver
que nos resucita
(el orgullo la humildad suprema
                              veintitrés clavos
han anudado al fin este cuerpo a la nada
en ella nado
y que el silencio me bendiga
señor de mi locura
                  máscara de hierro iiiii
el pájaro dijo sólo iiii
(elegí la o como vocal más sonora
junto con la r que mejor prolonga el sonido, significando
insistencia
en la desesperación
que sin o se convierte
                       en muda
desesperaci(ó)n
               n(o)
                  -d(o)l(o)r

☞?+ Π.£. ˤ+ .¿?Ⅱ.

fuera del Cocyto, Anne,
sal fuera de ese río
o perece en él
)
y el pájaro dijo sólo iiii
(sal fuera de ese río
o perece en él
y enamorado y cuervo proseguían inútilmente su diá-
                                          [logo: iiii
en la tierra decrépita, arrugada
llena de sueño, anciana
que en oveja se transforma
Are you washed in the blood of Lamb?
el silencio es el mar
                        Peter Von Kurten
acaricio tu retrato
y mi vida es sólo esto
venderemos The Observer
                            a la luz de la luna
                                        y parecía
que sólo eran reales los momentos
en que Giles de Rais acudía a mi alma
lying on the bed
yo adoro a las tortugas
                        Señora
                            BI
(hundido) las estrellas
                        y el gran fumador
XII The Hanged Mean
cumbre de la sabiduría otra

108

CONDESA MORFINA

Y llegaron los húngaros bailando,
                              y ya era tarde
pero bajo la noche practicaron su arte
y en la noche tú, hermana
me diste la mano.
                    (La gitana predijo y repredijo
pero la noche seguía su curso
y en la noche escuché tu abrazo
correcto y silencioso,
                         señora
hermosísima dama
                      que en la noche juegas
un blanco juego. (Hermosísima dama
serena y afligida
                    violeta nocturna
hermosísima dama
                      que la noche protege,
que en la noche vela
noche cándida y helada
                           (pura como el hielo
pura como el hielo tú eres, hermosa dama,
Madonna en el viento
                         hermosa y dulce dama
que me libra de pobreza
                            per amor soi gai
alegría de la nada,
                       hermosa dama
hermosa y dulce dama en mi
                                pensamiento
Tell me
       I get the Blue for you
dime tus sombras lentamente
despacio como si anduviéramos

como si bajo la noche anduviéramos
tú que andas sobre la nieve.
                              Y aterido de frío, por el
                                    Puente de Londres
                                    —is going to fall—
por el puente de Londres, manos en los bolsillos
y el río debajo, triste y sordo
no era un dulce río
mis ojos apenas veían
pero sabía que mi hermana me esperaba
no era un dulce río
sopesando el bien y el mal en una fulgurante balanza
mi triste hermana me esperaba
                              Monelle
me cogió de la mano
poderosa e impotente como un niño
llamándome en la sombra, con voz escasa
con voz escasa y tus harapos blancos, llamándome en la
                                    [sombra,
hermosísima dama.
                    Y con la mano
frágil y descarnada tú apagabas, y con el roce,
con el roce, en la sombra, de tus blancos harapos
tú apagabas las lágrimas
                              deshacías el dolor en pequeñas
                                    [láminas
harapienta princesa
                    tú me diste la mano.
(Y bajo la noche caminaba, buscándola a ella
por suburbios de Londres, a la niña harapienta
vista en todos los rostros de las prostitutas
un frío invierno de 1850
harapienta princesa.
De entre el sudor, la oscuridad, el miedo,
el temblor sordo de la vida,
su dura confusión, su almacenar sombrío
surgió aquella niña, aquel rostro que busco
aquel recuerdo triste y esta luz que rescata
una tarde de 1850

aquella niña
        y en la habitación vacía
                              (y ya era tarde)
yo cojo el azul
         para ti
aguja que excava la carne que ya no siente
                      y ya era tarde
pero bajo la noche practicaron su arte.

MAJESTAD ÚLTIMA DE LOS PEDÉS

Con sabia humildad el ser nefasto
desvivió en su lenta mecedora
con sabia humildad el ser de plástico
y la tortuga que huye de los esponsales.
Nefasto arregla su jardín.
                               bajo la luz de aplomo
por un viento inhumano barridos los harapos
y en el espejo mi rostro no está.
Luna escondida en una joroba
que ínfima retrocede
a través de calles que no figuran
en el recuerdo.
                 Tortugueante la tortuosa tortuga
borrando sus huellas
en sendero no verde venció a Aquiles.
La tortuga pintó sus labios
y su voz nunca se oyó
la tortuga pintó sus labios
Tortugueante... Y el aire
o lo que es menos que aire
balcón asomado adonde ni tú ni yo estamos
(desgarraba el tú turbiamente
al pie de la montaña.
Pero del lago blancas mujeres vinieron a anunciarlo:
la tempestad era ida,
y los pájaros articulaban su canto en el aire vacío
la sucia tempestad, el aire enfermo
la electricidad que no convence
                             el movimiento oscuro
la insignificancia llamada vida.
                    Con árboles blancos
deshaciendo torpezas, exprimiento los recuerdos:
a un lado secas y vacías

las árida pieles y al otro un jugo blanco
estúpido y blanco. Bajo la luz de plomo
vencido por el resplandor
ausente en lo meticuloso
                              huido
a la verdadera tiniebla, a la zona que no existe,
haciendo signos, para morir haciendo signos,
        (Vegetal y callado morir en lo no-mío)
y la tristeza se convirtió en miel
bajo la luz de plomo, su rigor que disolvía
la realidad en partícula que huían
                                    clinamen
su tristeza era un plato de sopa
largamente devorado por sistema
en habitaciones separadas del mundo
con distancia de una lente al deforme observé entonces
y su rostro no era un signo.
                              No bebía
mudo era un sueño
                    No bebía
haciendo con su infortunio una pequeña bolita
para enseñar a los amigos.
Los pájaros desmontaron la realidad.

VANITAS VANITATUM

Largo tiempo, Ialdabaoth, he recorrido
tu imperio, tu triste imperio.
Y vi cómo cabezas de niños eran devoradas.
Y vi cerrarse las fauces del mono sobre cuanto de luz ha-
[bía en la tierra
y una mujer enriquecida con la sangre de los mártires.
Largo tiempo, Ialdabaoth, tu imperio he recorrido, tu
[triste imperio.
Esa temática de sombras, esos miserables
milagros en *hoteles de una noche*
(y vi al licor sagrado cubierto de estiércol)
miserable milagro en la pantalla
alguien dibuja la imagen de una mujer
enriquecida con la sangre de los mártires,
miserable milagro, entidad perpleja que solicita: largo
[tiempo
Ialdabaoth, tu imperio he recorrido,
tu imperio, tu triste imperio.
Allá la Amapola guía con su frágil y engañosa luz
que no proviene de ella misma,
allá se extravía
la sangre en interminables laberintos,
ciegas luchas nacidas toda de la Pérdida,
de la escisión, Ialdabaoth, de la que eres el signo.
Largo tiempo, esperando que Ulises vuelva a recuperar la
[oveja perdida,
el Hen que tikkumice 99.
Y mientras la necedad, la edad oscura, agnosia se
[extendía
sometido tu imperio a la implacable ley de la antropía
[psíquica.
Largo tiempo, mientras se cumple el plazo, esperado sólo
[que se cumpla el plazo,

existiento sólo para tu final destrucción,
largo tiempo, satán, mientras tejías
tu interminable red de engaños
llamada Razón, llamada Pensamiento,
mientras tejías alguien destejía,
y hoy estás desprovisto y miserable,
lleno de furor, sabiendo
sabiendo que te queda poco tiempo.
Largo tiempo en el foso de las serpientes, contemplé sus
[juegos
mientras el cuerpo de mi padre era despedazado.
Largo tiempo, como un aspar a ciegas, como una muerte
que no se sabe, reducido al silencio por un sello, re-
[corría,
Ialdabaoth, tu inmendo y diminuto reino, reducido al si-
[lencio por un sello.
Y he visto a mi padre, al rey, apaleado, asesinado
toda vez que intentase rememorar su imagen en un Indi-
[viduo
he visto muerto al rey en medio de tus *interminables avenidas*
[lluviosas
lo he visto muerto, sobre la acera, y el mundo pasó junto
[a su cadáver sin verlo.
Largo tiempo, esperando, esperando sólo
a que el cadáver de la materia renazca, a que se abra
la cárcel de la materia,
y mientras esa serie que se acerca a su fin.
Oh, no ves cómo el viento azota tu triste cabaña,
cómo quiebra tus espejos,
te busca para matarte
(escucha cómo el Viento te busca:
te busca para matarte.
Haschischans invisibles persiguen
tu miserable estructura,
y el cadáver del esposo renace.
Y he aquí que mi único sueño es aquel final *granizo*.
esa inmensa Lluvia que ya nos envuelve
por cuanto padeces el nacimiento de un hijo Herma-
[frodita

que ha de volverlo todo a su origen, esto es a la Nada, o
                                    [mejor a aquello
que es *menos que nada.*
Y vi a un mono devorar excrementos
y a una mujer enriquecida con la sangre de los márti-
                                            [res.
Y he derramado sangre, *agua que permanece* en tus tembla-
                                            [derales,
he derramado el líquido
sagrado en ese altar inmundo,
esperando siempre el milagro, no sabiendo dónde se
                                            [hallaba,
esto es en Ningún Lugar.
Largo tiempo, satán, mientras llovía
mientras llovía interminablemente,
invocando su nombre a ciegas no sabiendo que no
                                            [tiene.
Y llegará el día en que se quiebre tu locura,
en que se haga cenizas tu locura,
porque de estas cenizas ha de surgir el Ave.
Y mientras, espero, por los interminables corredores,
guiado sólo por la sombra,
guiado por la soror para escapar a tu estúpido
pero eficaz laberinto.
Y he aquí que nadie oye el estruendo, pero ya se percibe,
como se ven las grietas en el ídolo de barro, las arrugas
en esa creación equívoca, porque el pájaro
que bebe de su propia sangre, Yaxum está en camino.
Y vi cómo se asesinaba en el *nombre* de Dios,
vi cómo se exterminaba a pueblos, a razas enteras por no
                            [adorar la imagen de la Bestia,
que lleva el *nombre* de Dios.
Cántaros, bogomilas, guaraníes, aztecas (y el degollado en
                                            [Treveris)
exterminados de un solo ojo,
exterminados en el nombre de Dios.
Y vi al Sin Nombre sollozar largamente, mientras
la Sinagoga de Satanás organizaba la matanza
en el reino triste de Hybris,

116

tu vasto y nulo imperio.
Y vi la Luz en los Vertederos, en los burdeles, en las
[cárceles,
maltratada, apaleada, confusa acerca de sí misma.
Y una mujer enriquecida con la sangre de los mártires.
Una mujer horrible, con barba, y en su frente grabado
[«misterioso»
que vivía de la sangre derramada
por aquellos que no adoraron a la Bestia bajo el nombre
[de Dios
y que se atrevieron a vestir de lino blanco
Y vi desde el fondo de la Muerte surgir la cabeza de un
[niño *autonacido,*
y oí el cántico que nadie escuchaba, la música de la final
[*l'isión.*
Y he aquí que tu Imperio comienza a derrumbarse, que tu
[sueño se hace cenizas,
de las cuales ha de surgir el Ave.
Y tu llanto, Ialdabaoth, es como una inmensa lluvia,
mientras la Semilla fructifica, lejos de tu imperio.
Tu imperio que también ahora, larga e inútilmente
[recorro
mirando a la ciudades como ruinas, observando febril-
[mente los indicios de la Nueva Ciudad
gustándome en esa ruina imaginaria que es el anuncio de
[la catástrofe de la realidad,
de la que la locura es la representación cabal
—«veía la ciudad deshacerse entre mis manos»—
(quiero decir la locura llamada así por la Locura)
y todas las criaturas en el mar serán destruidas.
Oh, ved aquí la última danza de la Cabra marina
antes que sea aplastada por la Piedra.

117

PAVANE POUR UN ENFANT DEFUNT

A mi tía Margot

Se diría que estás aún en la balaustrada del balcón
mirando a nadie llorando
Se diría que eres aún como siempre
que eres aún en la tierra un niño difunto.
Se diría, se arriesga
el poema por alguien
como un disparo de pistola,
en la noche, en la noche sembrada
de ojos desiertos, de ojos solos
de monstruos. Todos nosotros somos
niños muertos, clavados a la balaustrada como por en-
[canto,
a la balaustrada frágil del balcón de la infancia, esperando
como sólo saben esperar los muertos.
Se diría que has muerto y eres alguien por fin,
un retrato en la pared de los muertos,
un retrato de cumpleaños con velas para los muertos.
Pero a nadie le importan los niños, los muertos,
a nadie los niños que viajan solos por el país de los
[muertos,
y para qué, te dices, abrir los ojos al país de los ciegos,
[abrir los ojos hoy,
mañana, para siempre. Era mejor Oeste, tierras vírgenes,
[héroes en los ojos
de un cine desesperado, y los dioses que matan a los
[hombres feroces,
los dioses más feroces que los hombres
los dioses crueles de la infancia, los dioses
de la inocente crueldad, pensabas, que se alimenta de
[ciegos

y de quienes mendigan su ser en una picaresca sórdida,
si hombres hay, homicida. Pero aventura no hay, lo
[sabes,
más que por alguien, para alguien, como un poema,
como el riesgo de un vuelo en el aire sin tránsito. Y es
[por ello
por lo que nadie podría jamás sospechar que conservas
[esa
belleza demente de la infancia, ese furor contra lo útil de
[tu cuerpo,
y esa mudez en los ojos, esa belleza
sólo vendible al cielo del suicidio, sólo a esos ojos: esa
[existencia.
Pero la vida sigue y te arrastras como ella,
la vida sigue como el puente de Eliot,
como un puente de muertos o un flujo
de sombras que se cogen
de la mano ciega en el lado para saber que están muertos y
[viven. Esa vida de que hablan
en el infierno, entre sí los muertos, los alucinados, los ab-
[surdos,
los orgullosos sonámbulos disputando con sangre
una certeza alucinante; es un fuerte dios pardo.
Una basta tragedia que hacen
por navidades, los viejecitos, los difuntos,
con personas de olvido, con máscaras y ritos de otros
[tiempos,
rótulos de neón y fuegos fatuos: así obra desde entonces,
desde entonces, esa raza
misteriosa que pasa a tu lado sin mirarte o mirarse,
desde entonces, desde el día primero
en que te asomaste con pánico a su delirio. Desde que
[viven, quizá,
desde que no hay tiempo sino destino y trazo
de vida invulnerable a la decisión de una mirada fuerte.
Quien es visto o quien cae en ese río sordo
es lo mismo, es un muerto
que se levanta día tras día para
mendigar la mirada.

Porque todos llevamos dentro un niño muerto, llorando,
que espera también esta mañana, esta tarde como
[siempre
festejar con los Otros, los invisibles, los lejanos
algún día por fin su cumpleaños.

SCHEKINA

*«Que ella me perdone tanta ambición pisoteada,
y tanta esperanza apagada una y otra vez, como
una vela, de un soplo»*

(De la canción de PATTY SMITH, *White Horses.*)

«Hace falta morir para amar a la Schekina», decían
aquellos viejos ebrios de saber y de misterio, aquellos
libros que leíamos juntos como con miedo de su es-
[plendor,
o a veces siguiendo el ejemplo del niño
que va ciegamente hacia la luz, atraído
por el brillo inefable
en lo oscuro y muere igual que una mariposa nocturna:
[porque
hace falta morir, hace falta morir para amarte más y más,
[mujer sin nombre
soplo al que llaman, quién sabe por qué, «caridad».
Y heme aquí que ya he muerto, ya he gozado, *merced es,*
de tu caridad, en verdad la única y suprema, porque
en este mundo sin ojos debe de ser cierto
que sólo la muerte nos ve. Y ahora sé por fin
por qué eras tan frágil como la inexistencia, por qué
nunca sabía cómo llamarte y eras tan torpe para ser, y
[es que
en el país de los muertos sólo habitas tú. He muerto
[porque
hacía falta morir para volver a amarte
he muerto y en esta helada habitación donde
ya no hay nadie, y que recorre el viento, destruyendo los
[libros
que tanto daño hicieran, quedan sólo debajo

de las ruinas aquellos recuerdos de absurdos juegos y
                    [cópulas y de niñez desenfrenada cual
un palacio enterrado bajo el mar: y he aquí mi regalo,
                                                [he aquí
mi ofrenda de amor, este cadáver, este
despojo que aun así
sabe que no es digno, no es digno aún ni nunca,
no es digno pero
dile una palabra solamente
y caminará, caminará de nuevo no como aquel viejo
magullado que murió en España, sino
como alguien renacido gracias a un disparo,
lavado por la destrucción. Porque tal parece que
detrás de la muerte está la infancia otra vez
                                        y el miedo
esconde coros de risas, te lo juro:
he muerto y soy un hombre, porque
detrás de la muerte estaba mi nombre escrito.

GLOSA A UN EPITAFIO
(Carta al padre)

«And fish catch regeneration»

(Samuel Butler, *Pescador de muertos.*)

Solos tú y yo, e irremediablemente
unidos por la muerte: torturados aún por
fantasmas que dejamos con torpeza
arañarnos el cuerpo y luchar por los despojos
del sudario, pero ambos muertos, y seguros
de nuestra muerte; dejando al espectro proseguir en vano
con el turbio negocio de los datos: mudo,
el cuerpo, ese impostor en el retrato, y los dos siguiendo
ese otro juego del alma que ya a nada responde,
que lucha con su sombra en el espejo-solos,
caídos frente a él y viendo
detrás del cristal la vida como lluvia, tras del cristal
[asombrados
por los demás, por aquellos Vous etes combien? que nos
[sobreviven
y dicen conocernos, y nos llaman
por nuestro nombre grotesco, ¡ah el sórdido, el
viscoso templo de lo humano!   Y sin embargo
solos los dos, y unidos por el frío
que apenas roza brillante envoltura
solos los dos en esta pausa
eterna del tiempo que nada sabe ni quiere, pero dura
como la piedra, solos los dos, y amándonos
sobre el lecho de la pausa, como se aman
                                        los muertos
«amó», dijiste, autorizado por la muerte

porque sabías de ti como de una tercera persona
bebió dijiste, porque Dios estaba (Pound dixit)
en tu vaso de whiski
amó bebió, dijiste, pero ahora espera
¿espera? y en efecto la resurrección
desde un cristal inválido te avisa
que con armas nuestra muerte florece

                                     para ti que sólo
sabías de la muerte. Aquí
¿debajo o por encima?

                         de esta piedra
tú que doraste la sobrenatural dureza y el
dolor sobrenatural de los edificios desnudos

                                 ¿en qué pers-
                                  [pectiva
—dime— acoger la muerte?

                           en la mesa de disección
tú que danzaste
                    enloquecido en la plaza
                               tropezando
hiriéndote la manos en el trapecio del silencio
en pie contra las hojas muertas que
se adherían a tu cuerpo, y contra la hiedra que tapaba
obsesivamente tu boca hinchada de borracho,

                                 danzas,
                               [danzaste
sin espacio, caído, pero
no quiero errar en la mitología
de ese nombre del padre que a todos nos falta,
porque somos tan sólo hermanos de una invasión de lo
                                 [imposible
y tus pasos repiten el eco de los míos en un largo
corredor donde
                      retrocedo infatigable, sin
jamás moverme
                  ¡ah los hermanos, los hermanos invisibles
                    [que florecen
en el Terror! ¡Ah los hermanos, los hermanos que se de-
                          [fienden

inútilmente de la luz del mundo con las manos,
que se guardan del mundo por el Miedo, y cultivan en la
[sombra
de su huerto nefasto la amenaza de lo eterno, en
el ruin mundo de los vivos! ¡Ah los hermanos,
Y el
[ave,
el ave que vuela sobre el mundo en llamas, diciendo
[sólo
a los mortales que se agitan debajo, diciendo
sólo: ABISMO, ABISMO!
Abismo, sí, tibia guarida
de nuestro amor de hermano, padre.
¡Pero tan solos!
¡Tan solos! Fantasmas que hace visible la hiedra
—como hiedramerlín comoniñadecabezacorta como
mujermurciélago niña que ya es árbol—
crecen hojas
en la foto, y un florecer te arranca
de los labios caníbales de nuestra madre Muerte, madre
[de nuestro rezo
florecen los muertos florecen
unidos acaso por el sudor helado
muerto de muchas cabezas hambrientas de los vivos
te esperamos ave, ave nacida
de la cabeza que explotó al crepúsculo
ave dibujada en la piedra y llena
de lo posible de la dulzura, de su sabor
ajeno que es más que la vida, de su crueldad
que es más que la vida
¡ira
de la piedra, ira que a la realidad insulta,
que apalea
a la cabaña torpe de la mentira con verbos
que no son, resplandecen, ira
suprema de lo mudo!
(te esperamos
en la desgada orilla de lo que cae, en el prado
nocturno que atraviesan lentos

          los elefantes
                    percibís el frío
                              la
                                        conspiración de las algas,
                                                            ge-
latina, escamas, mano
que sobresale de la tumba
manos que surgen de la tierra como tallos
surcos arados por la muerte,
cabezas de ahorcados que echan flor:
                                        decapitados que dia-
                                        [logan
a la luz decreciente de las velas,
                              ¡oh quién nos traerá la
                              [rima
la música, el sonido que rompa la campana
de la asfixia, y el cristal borroso
de lo posible, la música del beso!
                              De ese beso, final, padre
                              [en que desaparezcan
de un soplo nuestras sombras, para
asidos de ese metro imposible y feroz, quedarnos
a salvo de los hombres para siempre,
solos yo y tú, mi amada,
aquí, bajo esta piedra

[AUN CUANDO TEJÍ UNA ARMADURA
DE ACERO]

*A Claudio Rodríguez, recordando el día
en que, con un cigarrillo temblándole en los labios, me dijo, en el Drugstore de Fuencarral, «a
esta gente hay que ganarla».*

Aun cuando tejí mi armadura de acero
el terror en mis ojos muertos.
Aun cuando con mano blanca y nula
hice de silencio tus orines
y la nieve cae aún sobre mi cuerpo
pese a ello se impone un silencio aún más hondo
a los clavos que habían horadado mi cráneo:
aun cuando sean huesos quizá lo que no tiembla
aun cuando el musgo concluye mi pecho
el terror remueve las cuencas vacías.

LOS PASOS EN EL CALLEJÓN SIN SALIDA

El suplicio de la noche y el suplicio del día
el suplicio de la realiddad y el suplicio del sueño
despliegan ese movimiento que se ignora y al que otros
pudieron, no sé cómo, llamar «vida», como una tortura
que desde lejos en la oscuridad pensara
un animal sin ojos con el alma dormida
soñando esta pesadilla...
Como una tortura estudiada para
que el sufrimiento aumentara poco a poco
                                        y más allá
del momento en que se hizo insoportable
haciéndonos aprender por la fuerza
una Ciencia del Dolor como la única
sabiduría posible en la Zona Clausurada.

El suplicio de la realidad y el suplicio del sueño
y mi cuerpo en el potro exhibiendo su tortura
como una vanidad —ved ahora un potro en medio
del escenario vacío— o mi yo disponiéndose
a recorrer una vez más los pocos pasos
que caben en el callejón sin salida
                                al que muestro
como una vanidad. Y avanzaré, avanzaré mi cuerpo
sin inteligencia ni alma por la calle
en donde nadie me conoce, andaré por allí
contoneándome y hablando solo, sin ver
que llevo una mujer sobre mi espalda
con las uñas clavadas en mis hombros
y mordiéndome el cuello ebria de mi sangre.

MA MÈRE

A mi desoladora madre, *con esa extraña mezcla de compasión y náusea que puede sólo experimentar quien conoce la causa, banal y sórdida, quizá, de tanto, tanto desastre.*

Yo contemplaba, caído
                    mi cerebro
aplastado, pasto de serpientes, a
vena de las águilas,
                    pasto de serpientes
yo contemplaba mi cerebro para siempre aplastado
y mi madre reía, mi madre reía
viéndome hurgar con miedo en los despojos
de mi alma aún calientes
                    temblando siempre
como quien tiene miedo de saber que está muerto,
y llora, implora caridad a los vivos
para que no le escupan encima la palabra muerto. Vi
                                        [digo
mi cerebro en el suelo licuándose, como un escremento
para las moscas. Y mi espíritu convertido en teatro
vacío, del que todo pensamiento ha desertado
—*tutti gli spirti miei eran fuggiti*
                    dinanzi a Lei
mi espíritu como un teatro vacío
donde en vano alentaba inútil, mi conciencia,
                                        cosa oscura o
aliento de monstruo presentido en la caverna. Y allí, en
                                        [el teatro vacío,
o bajo la carpa del circo abandonado, tres atletas
—Mozo, Bozo, Lozo—
                    saltaban sin descanso, moviendo
con vanidad desesperada el trapecio
de un lado a otro, de un lado a otro. Y también, corte-
                                        [sanas

129

con el pelo teñido de un oro repugnante, intercambiaban
leyendas sobre lo que nunca hubo
en el palacio en ruinas. Y me vi luego, más tarde
mucho más allá del demasiado tarde,
                                    en una esquina desolada de
alguna ciudad invernal, mendigando
a los transeúntes una palabra que dijera
algo de mí, un nombre con que vestirme. Puerta
del infierno —del
infierno de la imposibilidad de sufrir ya— puerta del in-
                                                    [fierno
—del infierno de la posibilidad de sufrir ya—
este poema, este canto exhausto
esta puerta que chirría en la casa
sin nadie, llevada sólo por lo deshabitado del viento,
como un pelele o marioneta infame que mimara
su carencia de ser con lo exagerado del gesto: una
                                                    [muñeca
llevada por los hilos invisibles de todas las manos
y negada por todos los ojos. Como una muñeca me
                                                    [mimo
a mí mismo y finjo
delante de nadie que aún existo. Peonza
en la mano del dios de los muertos. Como una meñeca
                                                    [extraviada
en la ruta implacable de tantas otras, de las incontables
                                                    [marionetas
que ejecutan su vida como un rito funerario,
una obsesión senil o un delirio
último de moribundo. Porque los hombres no hablan,
                                                    [me dije, dije
a los ciegos que manchaban
de heces y sangre sus zapatos al pisar mi cerebro. Y al mo-
                                                    [mento
de pensar eso, un niño
orinó sobre la masa derretida,
                                    dando luego
de beber vino rojo y fuerte a un sapo
para que borracho riera, riera, mientras caía

130

sobre el invierno de la vida la lluvia
más dura. Y al verlo, y mientras me arrastraba
cojeando entre los muertos pensé: llueve,
llueve siempre en las ruinas. Y mi madre rió, al oír aquel
[ruido
que delataba mi pensamiento.

LINTERNA CHINA

El agujero que ha muerto se
despliega como una sábana para
no poder dormir —yo, al fondo
de él, habiéndome olvidado—

                            mi cadáver
será un signo —en la pared sombras
de sapos van, una a una, pasando
pensando— no poder dejar de pensar
—en la pared desfilan
lentas las sombras de los sapos
de mi pensamiento—

                          no estoy sino aquí.
Atravesar el bosque para
saber que está vacío, y por siempre.

                              Un coro
de gigantescos monos danzará sobre
mi cadáver y uno de ellos, el que
lleva la insignia del jefe, cogerá
en su mano mi pequeño cráneo y reirá, reirá.
Mas mi destino sigue
erguido en pie en un mundo
desierto. Esposa
de un esqueleto, fiel a un muerto, así
eres tú, Helaí.

               Y mi madre muere en mi pensamiento.

EL CIRCO

Dos atletas saltan de un lado a otro de mi alma
lanzando gritos y bromeando acerca de la vida:
y no sé sus nombres. Y en mi alma vacía escucho siem-
[pre
cómo se balancean los trapecios. Dos
atletas saltan de un lado a otro de mi alma
contentos de que esté tan vacía.
                                    Y oigo
oigo en el espacio sin sonidos
una y otra vez el chirriar de los trapecios
una y otra vez.
Una mujer sin rostro canta de pie sobre mi alma,
una mujer sin rostro sobre mi alma en el suelo,
mi alma, mi alma: y repito esa palabra
no sé si como un niño llamando a su madre a la luz,
en confusos sonidos y con llantos, o bien simplemente
para hacer ver que no tiene sentido.
Mi alma. Mi alma
es como tierra dura que pisotean sin verla
caballos y carrozas y pies, y seres
que no existen y de cuyos ojos
mana mi sangre hoy, ayer, mañana. Seres
sin cabeza cantarán sobre mi tumba
una canción incomprensible.
Y se repartirán los huesos de mi alma.
Mi alma. Mi
               hermano muerto fuma un cigarrillo junto a mí.

CORRECCIÓN DE YEATS
(Extraída del poema «Prayer for old age»)

Dios me proteja de pensar como esos
hombres que piensan solos y
viven por ello de olvidar lo
que pensaron —porque
la mente no está sola y
                       Aquel
que canta la canción perdurable
demasiado la siente, demasiado.

Dios me proteja con más que su nombre,
Dios me proteja de ser un anciano
al que todos adulan y llamen
por el vacío de su nombre; oh, qué soy,
¿quién, no puedo más,
                       que
parecer —por amor de cantar
entera la canción— siempre un loco?

Rezo —pues las palabras vacías se marcharon
sin ser oídas y sólo la plegaria queda
en pie— para que aun cuando tarde mucho
en morir y en escribir mi nombre
al fin sobre la lápida puedan
un día decir sobre ese frío
que no estuve loco.

DESCORT

El Señor del Miedo guarda la llave del Amor,
de la bondad infinita de unas manos
que no pudieron escribir. Hasta mirarse
                                        Fuiste como
Cyane, transformada
                        por las lágrimas en nada
                                        (que el verso
se lea formando —como en Cor-
biere y no formando
                        parte del poema— nada es
si no es por sí solo: así nada el fragmento).
                                                Así fue
                        [—es—nuestro amor
erección sobre ruinas, botella verte en el solar vacío
que contiene a Dios, semen
sobre un cadáver. Nada sin la verdad, con sus tres
nombres y riendo de tres maneras.
nombres y riendo de tres maneras.Un
                                Tercero
monstruo de cuatro piernas
entre nuestras dos, vigila
el cumplimiento de fracaso, de su victoria
secreta: ¿no sabes ya lo que ello
                                secreta-monstruo
negro entre nuestras dos piernas. «Y la madre no quiso
tocar al monstruo que huye y se esconde» Descort-a «a
                                        [veces
este «desacuerdo» se ponía
de manifiesto en el contraste
entre el texto, desesperado, y la música
elevándose, alegre. ¡Acaso no amas
que yo te orine? Y allí perderse.
«Alba», aún no. Descort.

Semen-sobre el cadáver. Que lo fecunde. Que crezca
en él la flor y yedra lo cubra. Semen
sobre el cadáver. Que crezca
de él la raza nueva. Que se yerga
el muerto rasgando la yedra, que se yerga él como el falo
          [que no poseemos, como la Diosa que amamos
la Castración ¿o es lo que deseamos quien se abre
como una grieta entre los dos, no es eso lo que falta?
Olvidar es fácil ya que nada sucede,
sin Él, sin un tercero. El padre muerto
al que escupimos y el que escupe
una y otra vez en nuestra cara
una invisible y pútrida saliva.

                              No olvidar en cambio la
                              [fanfarronada
de hacer que Dios descienda entre nuestros
dos brazos, como un Hijo, el que no espera.
—Crece la yedra sobre el cuerpo
mudo de Dios— crece
sobre nuestros dos brazos mientras estamos
abrazados como en una
alegoría hindú de la unión
del agua y el fuego, de lo que se puede
unir, «la unión de lo que no se puede unir»
—decían las Noces chimiques— y yo amo que me
                                        [orines,
y tu pie sobre mi boca, besarlo. Asilo.
Semen sobre el cadáver: que no sólo lo mojen
las lágrimas, las húmedas, las no demasiado
dolorosas. Y que hable, sí, la crueldad para saber
lo que calla. Cuando los muertos nos impidan
la cópula: ellos también tienen
su lugar allí, en nuestro lecho. Y nosotros
somos oscuros como ellos y estamos muertos como los
                                        [niños.
Semen sobre la piedra. Que nada fecunde, sino quede
allí escrito y se borre al leerlo.
O que, cómo nacieron hombre de las piedras
de Decaulión y Pierra, esos huesos

136

de la piedra se hagan blandos y tenues
y algo nazca, y venas las venas.
Ab fin amor, af fina ioia —con la que
sabe el dolor, con el que sabe del vacío
y del asco— si no estaremos
relatando un sueño, de noche, sin ver
ninguno los ojos de ninguno,
de noche, en una barca que se bambolea.

CÓPULA CON UN CUERPO MUERTO

A Mercedes, por las bodas que vimos sum
umbra.

Y ella está allá: en la espera,
y no es a ti a quien ama, sino que
es un Otro, amantes, el que usa
voces y cuerpos vuestros —el que os ha
de abandonar. Feto negro que
se interpone entre vosotros dos
cuerpos y hace
siempre imposible la cópula—
creer sólo en la castración.
                              Y alguien
ella tal vez pasó su mano sobre
el feto con suavidad
que no le tocó. Y se aleja —ahora,
al acercarse, vivir es alejarse—
                              se aleja
por el jardín sin nombre y lleva
en la espalda una mancha de semen seco
o hay dirección en la huida: ¿sabes
supieste acaso adónde
se dirigían sus ojos cuando
te miraba?
              y por qué no
soportas que ella ahora,
suavemente te diga al oído:
                              «No has escrito»
¿Podrá oírse el verbo?
«No has escrito» repite
ella otra vez —y es por eso que tú
finges leer otra vez,
finges leerme
como si yo fuera El. Y es sólo a la

palabra a quien ama o amó— a ese feto
o bulto negro que los dos cuerpos
bañan de sudor —*Dios está muerto*
y habló a través de los dos. Ella
eres tú y soy yo— a condición
de no salirme de la muerte, soy
la mujer que buscas y que no encontraré.

                                        El feto cae

cayó —caeréis—, cayó disuelto
el abrazo con un chasquido monstruoso
al suelo y se levantó
sobre su tercera pierna, enano
negro con labios
pintados de rojo, y fumó
un cigarrillo. Nadie lo miró.

                                        Y ella

al marcharse me dijo —movió
los labios sin hablar y se oyó
que decía: «Se han roto,
se han roto todas las personas del verbo.»

ALBA
(TE FUISTE, DEJÁNDOME SIN MÍ)

Encadenado en medio de la soledad de todos,
sudor frío en la conversación, y miedo
                                          un muro
en medio de esos dos
                          hombres que la conversación araña,
la mano
de uñas que se rompen
                          «es en el agua donde está la vida
                                                    [suave».
Beber sólo sed en el vaso
que contiene en el mar de la orgullosa (tenebrosa) ebrie-
                                                    [dad que
arrastran y la crecen en pie
triunfal, hedionda, las babosas
gimen y se restriegan
unas contras otras: tú,
la palabra que cae de mi boca,
los alces que galopan enloquecidos
hacia la pradera leída, en el margen
donde recobro la mujer robada, aquella
de que Dios nos castró, ayer,
en el origen: Yo. El sol me llama,
el sol llama con su brillo
el fuego sabe: más allá
del nudo de dos lenguas en el aire
emponzoñando y quieto,
                          se entrebesca el beso.
                                          Una mujer
una mujer en el tembladera—, perdida
como tu sombra allá, entre sus cuerpos,
en la habitación, fija
allá en un extremo, mientras hablan sin

tocar jamás el nudo de sus bocas. Palabra
impura y *apostiz,* cortadle
la lengua al que algo
innecesario diga, empezar, empezar
puesto que nada
                    se ha escrito, empezar
como virgen desnuda, en el invierno, errando
nacida hace un instante. Empezar
ayer, por estar muerto, halar entre el frío,
ayer, ayer, nunca hemos salido del ayer.
Morir para decir. La llave
húmeda de la saliva de mi lengua.
                                        Habla
aciaga y arte
mal hecho, inmoral, y en cambio
destilar el veneno: cisnes
caídos, aquí, sobre el papel, y cirios
midiendo con su luz la catedral que
recorren vacía en la que
tu recuerdo se pudre en el altar de nuevo.
Caras tiznadas contra el cristal,
tempestad para nadie, cerebro del que todos
han huido, pierna colgando. Nada hay
entre mis piernas.
                    Una oscura
navaja en las gargantas, cortar
la lengua del que diga más
de lo que urge, del que hable
por hablar y no se haya
previamente quemado la lengua, con la antorcha.
                                        Trapecio que muévese
sobre la castración:
aquí fueron las Bodas, aquí
azoté con deseo su torso desnudo
con deseo quemando su lengua,
frec e joven, no movida, las
olas lamiendo los muñones de lengua quemada,
aquí, ayer. Y aquí golpeé, golpeé,
y aquí fueron las bodas y las caras

141

tiznadas mirando detrás del cristal, los ojos no nacidos,
seca la mano del océano, allí: me encerré
dentro de sus cabellos, aquí

                        Y el viento oyó mi nombre.

Oyó mi nombre, bramar,
bramar *contra el braire,* sosteniendo
un anillo en mis labios como foca, vete,
cruza a la otra orilla, seco,
cruza a la otra orilla hacia la asfixia
central, tus cabellos
hechos para siempre de sal. Vete,
toda belleza en la palabra *Ir,*

                  y bramarla,
                     con los labios sin mancha,
sin saliva, con los labios
cerrados, de rodillas,
de rodillas con los labios cerrados.
Ramo de rosados muñones
y negros en el Metro, pero
cruzar águilas, gavilanes, búhos
con los hombres de Castilla: hacer
el vacío en tu boca;

                no hay nadie delante de ti.
Una mujer

         hincó su diente en tu carne, pero
pero comeré de mis ojos. El Palacio
del Amor yace sobrio en sus ruinas
a tus pies, frente a
la mirada impasible, los ojos de piedra,

                          y quien
mira ahí no eres tú ya, Dios no tiene alma.

                        El viento
el viento me hace crujir, y me pudro,
me pudro y me construyo una muralla,

                    en el aire,
en el aire, donde sólo tú estás.

                  Unos pasos
más allá de la joya no puedo pensar. Me

pudro, me pudro
en el aire, donde sólo tú estás: atada
la que goza al gozo
del que no goza. Custodiada
la dicha. Los ojos decantados, ya cae
dentro de ellos la nieve, ya dicen adiós.

                              Pero nunca me ol-
                              [vides, porque

los hombres estaban desnudos y
las vestiduras eran los hombres.

AFTER GOTTFRIED BENN

Imitación póstuma de Gottfried Benn.
«es gibt nut zwei Dinge: die Leete und
das gezeinischte Ich».
(GOTTFRIED BENN, *Nur Zwei Dinge.*)

Una vez más erraste, el Fracaso
sólo no tiene límites —tú sí.
Sólo esta oscura pesadumbre sin
voz— mientras, afuera, oyes esas voces:
podría decir que estás loco
                                  como los
que oyen otras.
                 La habitación
escasa, aborrecida, está llena
de ese inefable mal olor —y allí
sólo el susurro sofocante,
                         siempre
de la voz de Pilatos, sellando la boca.
                             Y allí
a oscuras, arrodillarte, sin dejar de oler
la pestilencia que no nombra a nadie, la
                          aplastante
pesadumbre sin voz —arrodillarse
para rezar, una vez más, la oración
maldita. Y masturbarte oyendo
en tus oídos tu propia voz que dice a
una burbuja ciega que estallará,
                         que dice
y dirá —«golpeáme,
pégame, por favor.
Por favor.
              Y si así fuera
realmente, luego, la carne
ridículamente magullada y la vergüenza

                                        Y la habitación
y en un recado, los libros vencidos,
y sólo
esa pesadumbre sin voz.
Moriré en esta celda.

DA-SEIN

«Levant le jour, ils adressent au soleil
des prières traditionelles comme s'ils le
supliaient de paraitre.»
(GERARD WALTER, *La communauté essenienne.*)

«Ein da-sein»
ALFRED MOMBERT

La llave, la llave oscura
del fuerte dios, del pardo
dios cierra
   mis ojos con su fuerte llave Miento, me
agito en vano y danzo como rota película
movida por el viento me encontraréis en la
          siniestra hu-
        [medad de un cubo
de basura, allá donde aún reposa
el secreto de la vida, abyecto,
ciego, soñando como el mar en el puro,
en el intransigente ético perfecto
inalcanzable ideal de la muerte
allí están mis ojos ví
vivo allá en ese sueño
de una tumba sin hilo a otra
de un interruptor exacto
de la luz del mundo, allá
donde no hay nada, donde no hay
lugar para estar, vivo
ignorado, secreto, peor que el suicidio, peor
que la desesperación, que cuanto gime y aún
llama a la vida desde el fondo
      Perfecto:
sueño en eso, en que muera el mundo:

como el mar, como el demonio, allí me río
del Golgothe del dolor y la dicha
y de su mezcla inmunda.
Soñó en eso Dyonisos, el desdichado, el mártir:
en el instante absoluto de
abolir para nunca más el tiempo,

                              nevermore
dicen los ángeles, nevermore
canta Dios en las alturas,

                         nunca más
soñaré que existo, ni daré
y los signos un sentido por su movimiento,
nunca más, dice, Él, porque
Dios es para sí mismo una pesadilla
que trata en vano, universo tras universo
de arrancarse de un tajo
la espina de la vida, el crucifijo
y de beber el Vino.

DA-SEIN
(2.ª VERSIÓN)

«Ici, dit jardinier du cimityiere.»
JEAN CHARLES LAMB.
«Levant le jour, ils adressent au soleil des
prières traditionelles, comme s'ils le su-
pliaient de paraître.»
(GERARD WALTER, *La communauté essenienne.*)

«Eine da-sein.»
ALFRED MOMBERT

La llave, la llave oscura
del fuerte dios, del pardo
dios cierra
        mis ojos con su fuerte llave Miento, me
agito en vano y danzo como rota película
movida por el viento me encontraréis en la
siniestra humedad de un cubo
de basura, allá donde aún reposa
abyecto el secreto de la vida,
                   ciego,
nutriendo como un hijo al excremento y
soñando, soñando como el mar en el más puro,
en el intransigente ético perfecto
inalcanzable ideal de la muerte
allí están mis ojos vivo
vivo allá sin hilo a otro, como
interruptor exacto
de la luz del mundo allí,
donde el espacio muerde
su esencial polvo, y el tiempo nos otorga
insensato instante de su paz total, vivo
peor que el suicidio, peor que
la tierna desesperación, y que cuanto

gime todavía suplicando innoble
a la sucia vida desde el fondo. Pero inventé un baile per-
[fecto:
y aún sueño en eso, en purificar al mundo de sí mismo, e
igual que un loco, digo a todos: sabe
más la boca que el dolor de tus ojos
que nada saben, sabe
mentir la boca: y enseño, entre babas, balbuciente,
un *rosario,* y un niño que tiene en la mano la Tierra: y lo
[arrojo
así al suelo, a la flor de la basura, al lugar sin tiempo
en que delita conmigo el que fuera
Titán marino, el perfil
más bello del lado, el Mártir de la Cuerda,
                                        Aquel
que vivió por mandato del Ojo la creación tal infamia, y
al que llaman para reírse de él Initiator: y es que no
[hay
sacrificio que no tenga por su hija a la Venganza,
                                        y ésta
[hoy quiere
morder la fuerza que hace rodar las horas, y matar
al gusano, a la ridícula porcelana del Tiempo:
                                        qué hombre
[no ha soñado;
qué hombre no ha soñado en abrasar el Templo
del universo y en llenar el aire
entero del cosmos de los hilos
de lluvia de la sangre, del vino
del Solo, de aquel a quien los ojos
le alucinan y a todos dice «soy»
                                el que no es, el Único
el caballero idéntico a su vanidad, el esclavo
de mi propio ídolo, el adorador de Otro, el Yo sin ley y
[todo
hombre animal o luna me es al filo del Destino
desconocido: y quizá Dios es también esa tortura,
si me padece: quizá es, si sabe al menos, si se sabe,
también un No perfecto y puro. Soy

149

virgen de los hom-
[bres y no tengo
sexo, como la nada, como el tiempo, como el Instante
[puro
en que Adonai cierre su mano para siempre y diga nunca
[más en el incomprensible espacio, nevermore
nevermore, dicen
en la calle, al pasar, tantos ángeles
medio muertos, nevermore, repiten
sin alma los arcontes de un cielo que desprecio,

nunca
más, canta Dios en los abismos de lo alto,
nunca más soñaré que existo, ni daré
a los signos un sentido por su movimiento:
nunca más grita por fin a la
sed la tortura del Tiempo, la
siniestra tortuga, el Monstruo: nunca más, dice Él,
[porque
es también un ente sin espejo, porque
Dios es para sí mismo una pesadilla
que trata en vano, universo tras universo
de arrancarse de un tajo
la espina de la vida, el crucifijo
y de beber el Vino.

MANCHA AZUL SOBRE EL PAPEL

> «Para reencontrarse otra vez como perdido.»
>
> HEGEL

Leí mucho y no recuerdo nada. Y en la
habitación del fondo mi madre
se pudre, es un pez. El
palacio de la locura está
lleno de animales
               verdes con
motas anaranjadas como ácidos y
cubierto de polvo: entra,
ven.
  No me acuerdo de ti. Pere
decía, creo, lo contrario, Pound
sin talento, a Paz le
gustó mucho: moscas
vuelan alrededor del árbol. Oh, yo
también devoro moscas, a veces me atraganto, tantas
hay, crudas, sí, que no resisten
la cocción (Capítulo III de
«L'Alchimise retablie» de Canseliet, «So-
llicitation trompeuses et...»,
los senos del niño. Enormes y caídos. Qui
scribit bis legit.
              Y en los ojos una escalera empieza
Y vuelvo, vuelvo como un sueño,
como los sueños vuelven, sin entrar,
vuelve a soñarme, allí. Mientras duermen,
duermen, duermen, en la Morgue
«avec les yeux grand euverts» —vuelve
y la casa desierta, o hay extrañas
gentes que no conozco, cerebros ilegibles. Largo
el viaje por mar. Y en la habitación condenada se

encontró, muertos,
los extraños que vivían allí,
en la casa del confín (Hodgson)

                              sin hablar, un niño
enteramente recubierto de escamas —al tocarlo
sentimos una humedad, afilada y
fría como un cuchillo: sin conocernos. Había
también una soga colgada de una moldura
con la forma, en su extremo,
de una cabeza.
Suicidarse y seguir viviendo,
esta frase pertenece a alguien, a
Nijinsky quizá, no estoy seguro —Largo
el viaje por mar. En una isla había
una caverna y dentro un
enano que no quiso decirnos su nombre.
Una rana le colgaba de la boca, casi lo olvido.

                                    Y mi ma-
                                   [dre
acariciaba al niño de escamas, y de
vez en cuando retraía
la mano y la ponía
cerca de sus ojos, para mirar la humedad, las
gotas de agua fría deslizándose
sobre la piel. (Estaba
ciega como yo.) El
palacio de la locura está
lleno de agua y peces ciegos que tropiezan
de las profundidades, que relumbran. Ven, así
estás a salvo (golpeando, año tras año
por un látigo de luz, hasta la muerte), muchos menos
atroz estás a salvo: los peces
no hablan, lo mismo que los niños, no
se encadenan a una charla en la
que nadie responde ni te
responderá nunca, y que cesa
nada más formularse la pregunta —De
I dare demasiado me atreví: sale agua
de mis ojos, y los ojos cosidos y la

boca ve y ando con los oídos. Escúchame tú, que pasas al
[lado, que me rozas
por la calle, ange a moitié mort. Que me rezas.
Cesa todo cuando se pregunta, dejan
de hablar. Se van. Guardó la
mano muerta de su hija en un vaso
con agua.
        Una mosca
come en mi mano. Una lluvia de sangre
cayendo en el cerebro de Charles. Hacía
frío Fort, la noche en que murió hacía
frío, sí, lo recuerdo, llovía. Pere
Gimferrer —contrapunto
como en el canto VII de Pound —*no mera*
sucesión de pinceladas, narración
ciega, sino la vida
y la mente toda puestas en juego,
y perdidas —aquí. Pere
Gimferrer y Carnero se casaron
en octubre, y su hija
de enorme falo goteando,
colgando, muerta.
Balanceándose como un péndulo
mortal, goteando, en lo oscuro.
Hay un falo en mi boca, dos, y otro
erecto en mi ano, otro
lo arrastran mis pies.
           Otro
cuelga de mi cabeza y araña
al pasar las paredes y deja
un rastro, y un sonido. Pero
al morir Charles Fort dijo:
Mi hijo está desnudo, allí,
en el suelo, la llave. Y esos no son
de mi Pueblo. Oculto.
donde todos me ven, sello
de la carta robada, soy una princesa.

                    Ven a donde
                    [huyo.

Jamás me pudieron encontrar. Dije: estaré
siempre en el bosque, perdido,
en el bosque donde nací. Llueve,
llueve sobre el sexo de una mujer. Y bajo
el sol, rodeado de muchos, tengo frío. Y dije:
                                        «Ese que va
                                              [allí,
ese que corre, que
                    al volverme hace una mueca,
                                              soy yo.
Ácido disuelto
en agua caída sobre el papel.»

STORIA

> «I am-yet what I am none care or Knows
> my friends forsake me like a memory lost I
> am the self consumer of my woes.»

JOHN CLARE

*A una vieja que vi, sentada, gustando el frío,
sobre una piedra de la Rue du Louvre*, et item

a Andreas Baader, *in memoriam*.

Tú has llegado hoy al final del mundo
que es ahora algo así como una aldea fantasma
o un teatro macabro e inaprehensible
desnudo por completo de tu imagen
                              y sin embargo
representando aún fanáticamente la obra
cuyo guión se extravió hace tiempo en el oscuro
laberinto sin hilos de tu vida
                      miras
lo mismo que un ciego esa órbita sin creador ni firma
donde nadan perdidas en un vasto naufragio
las palabras crueles del colegio
los sórdidos cuentos de hadas de la infancia:
Dios, lo «humano» o «fraterno»
el Diablo a evitar, con su pompa y sus glorias,
la lujuria, el pecado a vencer sin jamás flaquear
hasta llegar ahora a estas piernas desnudas
cortezas arrugadas debajo del descuido de la falta,
diciendo donde estaba la verdad de la falta.
Ves que aquellas palabras, verdad, hacen peor tu vida
ahora, porque vuelven
más irreal tu infierno, y mucho más

atroz este
              llegar sin palabras ni eco de otras bocas
hambrientas de tu alma al puerto de unos ojos
errando en el desierto de la Rue du Louvre
sin una mano al menos, sin una mano fuera
de este llanto, este sí, verdadero y nocturno
sin una mano al menos que te guíe hoy
bebiendo, copulando entre espasmos y alaridos bestiales,
                                        [y matando
matando, sí, matando más allá
de la ceniza de las lágrimas
por honrar póstumamente con una extraña orgía la
                                        [leyenda
y entrar así juntos y unidos por un beso
de terror y de muerte en aquel paraíso
donde te juro que alguien, sin más nombre que el
                                        [hecho
se arriesgara a mirarnos aún perdiendo los ojos.

EVE

A Mercedes, por el hilo que la une al secreto

Porque hiciste mi gesto eterno supe
que eras la muerte: porque ella sólo podía
amarme si no había
                   hombres para mí, vivos:
sólo ella
         podía amarme; y supe también que tú eras
la Muerte, y que me amabas.
El rostro de la Humanidad era
para mí el de nadie: como para ella,
como para ti: eres negra y no quieres
nada de lo que vive y no sabe
hasta morir que te desea.
                 Y vi, a través de ti, cómo sur
                        [gían
y surgen cabezas de la tierra helada:
cabezas, y yelmos, corazas, espadas
es el fruto que cosecha la tierra en este año
que tanto recuerda al Ultimo, al siguiente,
y me amaste porque yo lo veía, porque
veía crecer ya en el huerto el fruto
monstruoso que incorporaba en sí
todo dolor e injusticia y desastre
y me dijiste: «he aquí mi primer hijo
yo que nada sabía del ridículo
acto de nacer!», Y agregaste:
«Este reirá de todo,
y lo encenagará todo con
el veneno de su risa mortal:
                      cuando no haya nadie
que recuerde cómo se reía, éste reirá.»
Y te reíste de mí, como mi madre

al ver que yo había nacido de ella.

Tan inmenso

era el frío de las ciudades
que algunos sabían que no era locura
ni es, creer que caerán —sobre mí
o seré yo el que caiga al morir sobre tu cuerpo.

Pero en el
[frío crecían

seguían creciendo —la peor de las *alfombras*
de césped— los huesos y la carne de soldados
que crecían sobre la tierra helada. Y me dijiste:
«ellos no tendrán miedo, porque están
muertos, lo mismo que tú me amas,

a mí que soy negra

como la vida, e hice una piedra de tu gesto».
Y los muertos brotaban sobre la tierra helada
—cabezas, yelmos, corazas y espadas
porque la Muerte se había hecho vida.

Y pregunté

—te pregunté entonces—: «Será mi alma
buen alimento para perros?» Y contestaste: «no esperes
que ella sirva para otra cosa: fue creada
y pensada lo mismo que tu cuerpo y huesos para
nutrición de los perros finales —lo mismo
que tu palabra. «Y ¿nada he de esperar?» «Nada».
Y vi cómo espadas y corazas y yelmos
crecían sobre el campo más yermo.
Y me olvidé.

LA MALDAD NACE DE LA SUPRESIÓN
HIPÓCRITA DEL GOZO

> *«Jois e Jovens n'es trichaire e malvestatz es d'aqui.»*

MARGABRÚ

Una cucaracha recorre el jardín húmedo
de mi chambre y circula por entre las botellas vacías:
la miro a los ojos y veo tus dos ojos
azules, madre mía.
Y canta, cantas por las noches parecida a la locura,
        velas
con tu maldición para que no me caiga dormido, para
       [que no me olvide
y esté despierto para siempre frente a tus dos ojos,
madre mía.

LA ALUCINACIÓN DE UNA MANO O LA ESPE-RANZA POSTUMA Y ABSURDA EN LA CARIDAD DE LA NOCHE

A Isa-belle Bonet
«Todo el bienestar del mundo
lo encuentro en Sueleika
cuando la achucho un poco
me siento digno de mí mismo;
si me dejara —perdería los ojos.»

GOETHE, *Diván Oriental Occidental.*)

Una mujer se acercó a mí y en sus ojos
vi todos mis amores derruidos
y me asombró que alguien amase aún el cadáver,
alguien como esa mujer cuyo susurro
repetía en la noche el eco de todos mis amores aplas-
[tados
y me asombró que alguien lamiese en las costras todavía
tercamente la sustancia que fue oro,
aquello que el tiempo purificó en nada.
Y la vi como quien ve sin creerla
en el desierto la sombra de un agua,
la amé sin atreverme a creerlo.
Y le ofrecí entonces mi cerebro desnudo,
obsceno como un sapo, como una paz inservible
animándola a que día tras día lo tocase
suavemente con su lengua repitiendo
así una ceremonia cuyo sentido único
es que olvidarlo es sagrado.

UN CADAVER CHANTE

*Lo que queda de ti, To Zelda, again, y en re-
cuerdo tembloroso de aquellas traducciones de
Gottfried Benn, poeta y médico, que le gustaba
hacer para probar a ser poeta y maga.*

Qué queda de ti. Miro al sapo, le
araño buscando lo
que queda de ti en los negros
testículos hay como un humo,
y la poya cobarde y retraída, es ya hongo
en desfiladero de sed y rocas, de tortugas
y los espíritus huyendo de Arezzo: el miedo
quizá diga de ti, de eso. El bosque
de pelos a la izquierda
te amó sin duda. El culo pide, reclama un hombre al grito
[de su pedo:
el pie no tiene pelos, pienso
como la vida junto a ti, que luego
en carne viva fuera, despellejada,
un viejo verde al que los niños apedrean
al crepúsculo, y el pueblo le conoce por el nombre
sarcástico de «viuda». La curva del abdomen sin embargo
[respira:
¿se acordará del seno? ¿Y el zapato?
Tengo la boca aún húmeda de él
El pie repta mientras escribo esto, y de la boca cae
espuma de cerveza,
sobre la mano que se queja
de ir sola ahora por la tierra del cuerpo. Un
cardenal en la pantorrilla izquierda
recuerda al chulo y
hace mirar la nalga
desesperada con tres forúnculos hermosos que son
nuestros tres hijos. El vientre se

me mueve, una rana
canta en sus aguas:
                              siento y toco los huesos como una es-
                                                            [peranza
He aquí el cadáver, he aquí —entre los pelos del pecho
componiendo un rombo, entre las tetillas
erectas por el frío o en el moco que
encontrará pronto quienes
lo sirvan en vajilla de plata, cantando
a la masa de nadie la noticia falsa
de que soy —quién sabe cómo, he aquí
todo hermana
lo que queda, lo que queda entre serpientes
ensortijadas en el triste ano, lo que queda de ti, lo que re-
                                   [cuerda aún al pobre hombre
quien sabe por qué, y a pesar tuyo que olvidaste
el día o el instante en que me regalaste tu vida,
                      y tu palabra
                                  que me da miedo oír, y hace
retrotraer la poya, y desplomarse
más cansada o animal que vencida la mano
izquierda sobre el tórax. Y otra vez el humo, el
humo que sale de los negros testículos
de ese par de huevos que no me sirvió para tenerte de
                                                     [nuevo
y ni siquiera para morir, el humo ahora, como de leña
húmeda que no sirve para nada. A quién daré mi semen,
                                                  [y cuándo
beberé otra vez en vaso la cerveza de tu menstruo
que gotea como el tormento en mi cabeza.
Que será de mis ojos. Quién es este enano, este duende
                                                  [deforme
que va a roncar ahora imaginando fácilmente lo que no
                                               [ha existido
y escupirá algún día con sangre lo que no ha vivido.
Tengo cinco agujeros: sabes, lo sabes muy bien, el de la
boca, el de los oídos tapado con cera, el pene color viole-
                            [ta, el de la nariz que supura
alimento para imbéciles, el otro que suelta pedos y pide

otra vez el insulto. Ah, y dos, bajo la frente,
de las cuencas vacías
engangrenadas para siempre que te esperan. Nunca
[pensé, dijo el muerto,
que mi vida había acabado. Echadme flores en la tumba,
[ahora
para eso sirve un muerto, y una esfera negra
que llaman el Huevo para besarlo todos
entre cantos de loa y acariciad por vicio
las culebras de las venas. Mi suicidio es esto:
seguir viviendo, y que respire el sapo:
mi pie danza una tarantella mientras escribo esto, y las
gotas de cerveza como fina lluvia abandonan el estó-
[mago.

MUTACIÓN DE BATAILLE

(De «L'Archangelique»)

Yo soñé con tocar la tristeza viscosa del mundo
en el desencantado borde de una ciénaga absurda
yo soñé un agua turbia donde reencontraría
el camino perdido de tu ano profundo;

yo he sentido en mis manos un animal inmundo
que en la noche había huido de una espantosa selva
salvaje como el viento, como el negro agujero
de tu cuerpo que me hace soñar
yo he soñado en mis manos un animal inmundo
y supe que era el mal de qué morirás
y lo llamo riéndome del dolor del mundo.

Una demente luz, una luz que hace daño
encuentra sólo en mí el cadáver de tu risa
de tu risa que libra tu larga desnudez
y el viendo descubre nuestra muerte, semejante
a ese agujero inmundo que yo quiero besar: un resplandor
                                              [inmenso
entonces me iluminará
y he visto tu dolor como una caridad
irradiando en la noche tu forma amplia e inmensa
el grito de la tumba que es tu infinitud
                                y he visto tu dolor
como una caridad, como si alguien dejara suavemente
un ojo en la mano blanca que un mendigo le tiende.

UN POEMA DE JOHN CLARE

I am
(je suis)

Soy—más qué soy nadie sabe ni nadie
le interesa—mis amigos
me dejaron como un recuerdo inútil
que sólo se alimenta de su propia desdicha
de mis penas que surgen y se van, sin más, y para
nada
ejército en marcha hacia el olvido
sombras confusamente mezcladas a los pálidos
mudos, convulsivos, escalofríos de algo
parecido al amor—y pese a todo soy, y vivo
como vapor en el cristal, que borrarán seguro
cuando llegue el día.

          En la nada del desprecio, en el ruido de muerte
                                             [de la vida

en el mar frenético de los sueños despiertos, del de-
                                             [lirio
que tranquiliza a los hombres, pero más allá aún
donde hay rastro de sensación de vida
nada más que un gran naufragio en mi vida de todo lo
                                             [que quería
hasta de los más íntimos amores, por los que hubiera
                                             [dado la vida
son ahora extraños—mas todavía que el resto
Languidezco en una morada que ningún hombre holló
un lugar en que jamás aún mujer lloró o sonrió
para estar a solas con Dios; el Creador
y dormir ese sueño que dormía en la infancia
procurando no molestar a nadie—helado, mudo, yazco
sobre la hierba como un perro, irreal como el cielo.

165

A FRANCISCO

Suave como el peligro atravesaste un día
con tu mano imposible la frágil medianoche
y tu mano valía mi vida, y muchas vidas
y tus labios casi mudos decían lo que era el pensamiento.
Pasé una noche a ti pegado como a un árbol de vida
porque eras suave como el pelogro,
como el peligro de vivir de nuevo.

EL BACCARRÁ EN LA NOCHE

¿Quién me engaña en la noche, y aúlla
pidiéndome que salga, que salga a la calle y camine,
y corra, y atraviese las callas como perro rabioso
las calles desiertas en que es siempre de noche,
buscando locamente el baccarrá en la noche?
¿Quién me despierta, qué hembra mortal o pájaro,
                                        para decirme
que aún vivo, que aún deseo, que tengo
todavía que imprimir una última dirección a mis ojos
para buscar el bacarrá en la noche?

¿Qué unas escarban mi vejez, y qué mano que no perdona
tortura mi muñeca, conduciéndome
como a un lugar seguro, al bacarrá en la noche?
¿Qué mano de madre, qué oración susurran
luna tras luna los labios de la luna
gritando en medio de la calle a solas
descubriéndome en la acera, denunciando a todos
mi testamento secreto, mi pavor y mi miedo
sin descanso de encontrarme, no sé si hoy quizás, tal vez
                                        mañana, jugando
ya para siempre al baccarrá en la noche.

EL LAMENTO DEL VAMPIRO

Vosotros, todos vosotros, toda
esa carne que en la calle se apila, sois
para mí alimento
todos esos ojos
cubiertos de legañas, como de quien no acaba
jamás de despertar, como
mirando sin ver o bien sólo por sed
de la absurda sanción de otra mirada,
todos vosotros
sois para mí alimento, y el espanto
profundo de tener como espejo
único esos ojos de vidrio, esa niebla
en que se cruzan los muertos, ese
es el precio que pago por mis alimentos.

EL DÍA EN QUE SE ACABA LA CANCIÓN

Cuando el sentido, ese anciano que te hablaba
en horas de soledad, se muere
                            entonces
miras a la mujer amada como a un viejo,
y lloras.

                                      Y queda
huérfano el poema, sin padre ni madre,
                            y lo odias,
aborreces al hijo colgando
como un aborto entre las piernas, balanceándose allí
como hilo que cuelga o telaraña,
cuando el sentido muere,
                        como un niño
castrado por un ciego,
... al amparo de la noche feroz, de la noche:
como la voz de un niño perdido aullando en
                              el viento
el día en que se acaba la canción, dejando
sólo un poco de tabaco en la mano,
                    y la ciudad ahora, las
ciudades convertidas en vastas plantaciones de tabaco, y
                            [la mano
asombrada toca la boca sin labios
el día en que se acaba la canción, y se pierde
el hombre que a sí mismo le queda el nombre de
                          [alguien,
el dar la vuelta a una esquina, un atardecer sin música.
El día en que se acaba la canción el dolor mismo
es sólo un poco de tabaco en la mano,
                        y las palabras
son todas de antaño, y de otro país, y caen
de la boca sin dientes como un líquido
parecido a la bilis,

                    el día
en que se muere el sentido, ese
asesino que al crepúsculo hablaba y al
insomnio susurraba palabras y cosas;
                                    el día
en que se acaba la canción miras
a la mujer amada como un viejo, y
con la cabeza entre las piernas,
frente al mundo abotado, lloras.

IMITACIÓN DE PESSOA

para Edita Piñan, recordándole que la poesía
llama imaginación a lo que ellas se empeña en
llamar locura.

Amor, no seas: huye del ser y que a ti el ser rehúya
como a un muerto, y dile, no me toques
como a un muerto, que no plante en ti
su zarpa de animal la vida, que
vivir es pecado, amor, no seas
huele mal la vida, amor
no seas que vivir es una
huida perenne de aquel nacer que extraños
conspiraron contra tu dicha un día, de aquel
nacer que esos desconocidos
te quisieron y no te pudo nadie
porque eres virgen todavía, virgen
como un santo, de la vida:

                                amor, sé como yo, no seas.

LA CANCIÓN DEL CROUPIER DEL MISSISSIPI

«Fifteen men on the Dead Man's Chest.
Yahoo! And a bottle of rum!»
Canción pirata.

Fumo mucho. Demasiado.
Fumo para frotar el tiempo y a veces oigo la radio.
y oigo pasar la vida como quien pone la radio.
Fumo mucho. En el cenicero hay
ideas y poemas y voces
de amigos que no tengo. Y tengo
la boca llena de sangre,
y sangre que sale de las grietas de mi cráneo
y toda mi alma sabe a sangre,
sangre fresca no sé si de cerdo o de hombre que soy,
en toda mi alma acuchillada por mujeres y niños
que se mueven ingenuos, torpes, en
esta vida que ya sé.
Me palpo el pecho de pronto, nervioso,
y no siento un corazón. No hay,
no existe en nadie esa cosa que llaman corazón
sino quizá en el alcohol, en esa
sangre que yo bebo y que es la sangre de Cristo,
la única sangre en este mundo que no existe
que es como el mal programado, o
como fábrica de vida o un sastre
que ha olvidado quién es y sigue viviendo, o
quizá el reloj y las horas pasan.
Me palpo, nervioso, los ojos y los pies y el dedo gordo
de la mano lo meto en el ojo, y estoy sucio
y mi vida oliendo.
Y sueño que he vivido y que me llamo de algún
                                                    [modo
y que este cuento es cierto, este

absurdo que delatan mis ojos,
este delirio en Veracruz, y que este
país es cierto este lugar parecido al Infierno,
que llaman España, he oído
a los muertos que el Infierno
es mejor que esto y se parece más.
Me digo que soy Pessoa, como Pessoa era
                                    Alvaro de Cam-
                                          [pos,
me digo que estar borracho es no estarlo
toda la vida, es
estar borracho de vida y no de muerte,
es una sangre distinta de esa otra
espesa que se cuela por los tejados y por las paredes
y los agujeros de la vida.
Y es que no hay otra comunión
ni otro espasmo que este del vino
y ningún otro sexo ni mujer
que el vaso de alcohol besándome los labios
que este vaso de alcohol que llevo en el
cerebro, en los pies, en la sangre.
Que este vaso de vino oscuro o blanco,
de ginebra o de ron o lo que sea
—ginebra y cerveza, por ejemplo—
que es como la infancia, y no es
huida, ni evasión, ni sueño
sino la única vida real y todo lo posible
y agarro de nuevo la copa como el cuello de la vida y
                                                    [cuento
a algún ser que es probable que esté
ahí la vida de los dioses
y unos días soy Caín, y otros
un jugador de poker que bebe whisky perfectamente y
                                                    [otros
un cazador de dotes que por otra parte he sido
pero lo mío es como en «Dulce pájaro de juventud»
un cazador de dotes hermoso y alcohólico, y otros
                                                    [días,
un asesino tímido y psicótico, y otros

alguien que ha muerto quién sabe hace cuánto,
en qué ciudad, entre marineros ebrios. Algunos me
recuerdan, dicen
con la copa en la mano, hablando mucho,
hablando para poder existir de que
no hay nada mejor que decirse
a sí mismo una proposición de Witgenstein mientras
[sube
la marea del vino en la sangre y el alma.
O bien alguien perdido en las galerías del espejo
buscando a su Novia. Y otras veces
soy Abel que tiene un plan perfecto
para rescatar la vida y restaurar a los hombres
y también a veces lloro por no ser un esclavo
negro en el sur, llorando
entre las plantaciones!
Es tan bella la ruina, tan profunda
sé todos sus colores y es
como una sinfonía la música del acabamiento.
Como música que tocan en el más allá,
y ya no tengo sangre en las venas, sino alcohol,
tengo sangre en los ojos de borracho
y el alma invadida de sangre como de una vomitona,
y vomito el alma por las mañanas,
después de pasar toda la noche jurando
frente a una muñeca de goma que existe Dios.
Escribir en España no es llorar, es beber,
es beber la rabia del que no se resigna
a morir en las esquinas, es beber y mal
decir, blasfemar contra España
contra este país sin dioses pero con
estatuas de dioses, es
beber en la iglesia con música de órgano
es caerse borracho en los recitales y manchas de vino
tinto y sangre «Le livre des measques» de
                                    Remy de Gour-
[mont
caerse húmedo babeante y tonto y
derrumbarse como un árbol ante los farolillos

de esta verbena cultural. Escribir en España es tener
hasta el borde en la sangre este alcohol de locura que ya
no justifica nada ni nadie, ninguna sombra
de las que allí había al principio.
Y decir al morir, cuando tenga
ya en la boca y cabeza la baba del suicidio
gritarle a las sombras, a las tantas que hay y fantasmas
en este paraíso para espctros
y también a los ciervos que he visto en el bosque,
y a los pájaros y a los lobos en la calle y
acechando en las esquinas
«Fifteen men on the Dead Man's Chest
Fifteen men on the Dead Man's Chest
Yahoo! And a bottle of rum!»

EL LOCO

He vivido entre los arrabales, pareciendo
un mono, he vivido en la alcantarilla
transportando las heces,
he vivido dos años en el Pueblo de las Moscas
y aprendido a nutrirme de lo que suelto.
Fui una culebra deslizándose
por la ruina del hombre, gritando
aforismos en pie sobre los muertos,
atravesando mares de carne desconocida
con mis logaritmos
Y sólo pude pensar que de niño me secuestraron para una
                                        [alucinante batalla
y que mi padres me sedujeron para
ejecutar el sacrilegio, entre ancianos y muertos.
He enseñado a moverse a las larvas
sobre los cuerpos, y a las mujeres a oír
cómo cantan los árboles al crepúsculo, y lloran.
Y los hombres manchaban mi cara con cieno, al hablar,
y decían con los ojos «fuera de la vida», o bien

                                        «no hay
                                        [nada que pueda
ser menos todavía que tu alma», o bien «como te llamas»
y «qué oscuro es tu nombre».
He vivido los blancos de la vida,
sus equivocaciones, sus olvidos, su
torpeza incesante y recuerdo su
misterio brutal, y el tentáculo
suyo acariciarme el vientre y las nalgas y los pies
frenéticos de huida.
He vivido su tentación, y he vivido el pecado
del que nadie cabe nunca nos absuelva.

SENESCO, SED AMO

Amor mío, los árboles son falos que recuedan al cielo lo
[que fui,
y todos los hombres son monumentos de mi ruina.
De qué sirve llorar, en este crepúsculo en que el amor
[empieza
si estás tú frente a mí, como lo que un día
fuiste: presagio de mi mismo, no de mi destrucción,
[última rosa
para levantar la tumba,
para ponerla en pie como árbol
que contará de nuevo los cielos
mi vida, mi historia que el ocaso vuelve perdida, como
[embalaje en manos de extraños
como excremento que a tus pies coloco o
abrumador relato fantástico: que yo era un perro
vagando donde no había vida,
lamiendo día a día la lápida que me sugiere
y ahora seré si quieres, fuego fatuo
que alumbre por las noches tu lectura, y ruido
de fantasmas para alejar el silencio, y canción en la
[sombra, y mano
que no supo de otra, y hombre
buscándote en el laberinto, y allí gritando cerca del
[monstruo tu nombre, e imaginando tus ojos.

LA TUMBA DE CHRISTIAN ROSENKREUTZ

Ah, Rosacruz, hermano,
hombre para los bosques,
en pie sobre tu tumba hablo solo, hago gestos
absurdos y grotescos ya no para los hombres
en pie sobre tu tumba, de puntillas,
ah Rosacruz, hermano, estatua para el viento
para el verano pálido en que acechan los dioses
en matojos de hierba, para el croar de ardillas,
y el ulular de ranas en los ríos en sombra,
cuando los peces pescan obscenos tu corona,
ah Rosacruz, hermano, te he visto en una piedra
te he visto hoy en un pie, ayer en una uña
y tu cabeza cae y rueda entre los hombres
cae y rueda entre los hombres, cae
y rueda, y rueda, rueda,
ya menos que paloma, o cadáver, o sombra,
ya una nada en la aurora,
tu cabeza cae en la arena y brilla
mientras rueda, y rebota, corre, rueda
ya la nada por yelmo, la cabeza que rueda
bajo el sol en la hierba, bajo la luna, bajo el agua
y la nieve, tocada
levemente por la mano de la ardilla.
Quién sabe lo quiso Chatterton
hacer con su suicidio: qué promesa
a una mujer o qué herida en el viento.
No quebró la realidad, no hundió el cuchillo
en la carne cruel de lo que vive.
Hoy sin él, sin su suicidio, porque es peor la vida
que moja los cadáveres con lágrimas de cieno.
Quién sabe lo quiso Chatterton con su suicidio,
qué palabra decir, qué grito a nadie
qué signo que no fuera barrido por la escoba

anónima del tiempo
Quién sabe qué nos dijo, qué esperanza tenía,
y si a pesar de todo aún podemos
gracias a él, en los días de lluvia
cuando amenaza la soledad, y acechan
en la sombra los recuerdos,
confiar en el misterio de la muerte.

UN ASESINO EN LAS CALLES

No mataré ya más, porque los hombres sólo
son números o letras de mi agenda,
e intervalos sin habla, descarga de los ojos
de vez en vez, cuando el sepulcro se abre
perdonando otra vez el pecado de la vida.
No mataré ya más las borrosas figuras
que esclavas de lo absurdo avanzan por la calle
agarradas al tiempo como a oscura certeza
sin salida o respuesta, como para la risa
tan sólo de los dioses, o la lágrima seca
de un sentido que no hay, y de unos ojos muertos
que el desierto atraviesan sin demandar ya nada
sin pedir ya más muertos ni más cruces al cielo
que aquello, oh Dios lo sabe, aquella sangre era
para jugar tan sólo.

EL SUPLICIO

La fiebre se parece a Dios.
La locura: la última ocasión.
Largo tiempo he bebido de un extraño cáliz
hecho de alcohol y heces
y vi en la marea de la copa los peces
atrozmente blancos del sueño.
Y al levantar la copa, digo
a Dios, te ofrezco este suplicio
y esta hostia nacida de la sangre
que de todos los ojos mana
como ordenándome beber, como ordenándome morir
para que cuando al fin sea nadie
sea igual a Dios.

MUTIS

Era más romántico quizá cuando
arañaba la piedra
y decía por ejemplo, cantando
desde la sombra a las sombras,
asombrado de mi propio silencio,
por ejemplo: «hay
que arar el invierno
y hay surcos, y hombres en la nieve»
Hoy las arañas me hacen cálidas señas desde
las esquinas de mi cuarto, y la luz titubea,
y empiezo a dudar que sea cierta
la inmensa tragedia
de la literatura.

CAPUT MORTIS

A Juan Manuel Bonet y José.

Perdí mi cabeza entre dos piedras, al
borde del camino, al sur de las montañas,
pasado Monterrey. Tú, caminante, que aún recorres
espantando a las moscas el sendero de Nadie
limítate a escupir si ves esos cabellos
resecos en que la sangre escribe
aún un terco poema, y pasa, pasa de largo, vuelve
otra vez sin miedo a correr, sudando
por el camino de las Bestias

Te encontré en el Támesis, nadando
para sobresalir de él: yo, mientras
buscaba entre las ratas la razón de mi vida.
Tú eras razón del agua y yo maestro
del estiércol qué importaba
si a una foca era igual tu cuerpo por el cieno.
Rozaba el alazán hasta que herida
o locura
                                        y el odio a la locura
mujer que desaparece entre el junco
ciervo hiriendo la página
cazando el ciervo
hasta que locura herida
hasta que la boca una zarza ardiendo.

Miedo a las golondrinas en la noche
y de los pájaros que el aire deshace,
                                        miedo
a encontrar un día, tras de la nieve, lleno
de miedo y frío
                        mi recuerdo.

REQUIEM

Yo soy un hombre muerto al que llaman Pertur.
En la cena de los hombres quién sabe si mi nombre
algo aún será: ceniza en la mesa
o alimento para el vino.
Los bárbaros no miran a los ojos cuando hablan.
Como una mujer al fondo del recuerdo
yo soy un hombre muerto al que llaman Pertur.

LA FLOR DE LA TORTURA

(Tupac Amaru en los sueños de la prisión)

Busco aún mis ojos en la Mano
en la Mano y en el suelo,
               y recuerdo que fui hombre,
                         antes
de que el metal hiciera arder mi cuerpo
entero como una bombilla,
como una bombilla quebrada por la Mano
del hombre sin cabeza, cuyos pies sólo veía,
                      cuya Mano
explorar mi cuerpo como en busca del mapa de Todo.
¡Oh los pétalos de mi vida que caen, los cristales
de mi alma
que ya son sólo carne, carne en llamas
y una mujer en los brazos de otro!
¡Oh mi amor, mi amor entero, cuyos pies sólo veo!
¡Oh mi hombre, mi amado, mi esposo, quisiera
ofrecerte mi falo esta noche quemado
y mis ojos también, mientras arañas
con tu mano torpe la bombilla queriéndome,
y el látigo de tu voz desmiente mi cabeza!
Esto era la cabeza que hubo
esto el metal de tu voz.
Esto la carne en pedazos por el suelo, por el suelo
como un espejo roto que recuerda
a todos los hombres.
Ya no soy yo sino *eso* que torturas,
y una sola flor en la cabeza,
dos en el pie, y cinco en el escroto.
Al final, como un regalo
te escupiré mi nombre al suelo.
Y quedará vacía por entero mi alma, sólo amor

sólo pasión de ti y de tu boca de acero,
de tu Mano que se mueve curiosa entre mis pelos,
que aplica electrodos con premura, tiernamente
a través del laberinto de mi cuerpo.
¿Querrías saber mi nombre? Soy el Fuego,
y toda la marrea de los dioses,
aparece en mi frente. ¿Querías saber quién soy?
Yo soy un gato, una gota de agua salada en tu Mano
arena de la playa para que en ella como un niño juegues.
¿Te gusto más desnudo? Para que con mí juegues, sin duda
es mejor mi piel que el inútil
enigma de mi ropa.

No es nada ya mi cuerpo tómalo,
hunde tu falo, y que te ame
como el agua ama el pie que en ella se hunde.

SOLDADO HERIDO EN EL LEJANO VIETNAM

La muerte vació mi ser, dejó mis ojos
tan blandos y sexuales como selva.
Cada vez que me acuerdo de mí y de aquellos bosques
la nieve del esperma baña mi frente.
El avión me esperaba como una amenaza:
a medida que el terror se alejaba
vi la nave del sentido hundirse entre mis ojos.
En esta habitación de Windham Street
soy sólo un disparo entre los juncos.
Dicen que allá en los ríos, cuando baja
el viento oscuro de la noche, un pez
acaso me recuerde.

LA NOCHE DEL SOLDADO
EN LA CASA ABANDONADA

El enemigo no está aquí: las sombras.
No sé si ha huido al mar o aúlla en la montaña
perdido entre lobos o pegando, por sentir algo
el desnudo cuerpo a un roble.
                              Su idea
cae de mi cabeza con el hacha que poda
una tras otra las ramas
del árbol en que la locura cantara, el búho:
es el otoño en mi cabeza.
Las palabras libertad, patria suenan ahora como el
                                                [grillo
o como la puerta que el viento no conmueve: mañana
con mis cabellos encenderé la hoguera.
                                    Dos pájaros
pelean en lo alto con sus picos.
Temo morir
            Temo morir más que en la batalla
temo perder el der, vencida la batalla
por medio de este ruido sigiloso.
                    Temo que caiga el nombre
                                  como del muro
el revoco, el papel, el dibujo. ¿Qué es la noche?
¿Qué es el búho? ¡Si un perro ladrara!
Si un perro ladrara devolviéndome algo
del candor del estruendo, de
la vid de la batalla.
El ejército ruso no pudo con mi espada:
el silencio, sí.

TROVADOR FUI, NO SE QUIÉN SOY

Sólo en la noche encuentro a mi amada
de noche, cuando más sólo
en el llamo en que no hay nadie
sino una dama que aúlla
con la cabeza en la mano
sólo en la noche encuentro a mi amada
con la cabeza en la mano.

Le ofrezco como el incienso
que otros reyes la donaran
mis recuerdos en la mano
ella me tiende su cabeza
y luego, con la otra mano
lenta a la noche señala.

Solo en la noche, en la hora nona
salgo a buscar a mi amada
y en el llano como ciervos
corren veloces mis recuerdos.

Tuve la voz, trovador fui
hoy ya cantar no sé
trovador, no sé hoy quién soy
y en la noche oigo a un fantasma
a los muertos recitar mis versos.

ORA ET LABORA, I

Señor, largo tiempo llevo tus restos en el cuello
                                              y aún
mi boca sola, y me arrodillo ante las tardes
y en rezo me evaporo,
como si fuera mi casa la ceniza.
                              Es
como si no existo, como si el rezo
pidiera a los dioses la limosna de mi nombre
ante la tarde entera.
Nunca supe lo que el cielo era:
quizá la tarde, tal vez
amar más que ninguno
a mi madre, la ceniza.
                        ¡Oh espía!
De mí aparta tu ojo, hice un voto
haz secreta mi muerte.

AUTO DE FE

Dios el perro me llama el aire quema a un hombre
horizonte dos cuerpos ardiendo intensamente
quince ángeles velan donde estuvo mi frente
soy el negro, el oscuro: ardiendo está mi nombre.

Mi caballo me busca y pronuncia mi nombre
con el hacha rompieron de dos en dos mi frente
lejos, en el ocaso, alguien dice algo o miente
soy el negro, el oscuro: ardiendo está mi nombre.

Es la ley el silencio y también la blasfemia
es mostrar a los hombres una cruz en la boca
y decirles que arde, como cabo de vela
mi alma en la penumbra como una blasfemia
Dios el mudo, escultura de sombra, florecer de roca
y los dados de un ciego que cierran el poema.

DE CÓMO EZRA POUND PASÓ
A FORMAR PARTE DE LOS MUERTOS

I

Raut de foras-cuatro años sin voz,
hablando demasiado y sin oírme, errando
en mi cerebro con sed, como
un pez rojo en el fango, y —
—dinanzi a Lei tutti
gli spirti misi eran fuggiti— aun
no perdí el canto (ni el estigma
de «pobre loco»). Cuatro años la misma
borrachera noche y noche, ola batiéndose
—practicar sin armas la esgrima— contra el duro
mar de la «tenebrosa
                          generación». Y en una de ellas.
dije, a alguien que a mi lado estaba, dije, le
dije «acércate y escucha como
me muero. Luego que
para cumplir su venganza se seca
en esta página, concavidad que deja
                                        y
todos los ahogados que aparecen ahora
lívidos, intactos, como ayer.
                                Baut de foras:
                                              ya
acepté el insulto, lo vestí como una
trágica y sonrosada muñeca. Where
are you? I
              am in the shop-window frente
a la muchedumbre que
mira, como siempre, con los bestiales ojos. Mi alma
en el escaparate, gentío que aplaude
en la hoguera los últimos gestos

de Juana de Arco. ¿Qué
miran: la muñeca —vendida hace cuatro años— tiene
para sus ojos un tatuaje
                            negro en el ano, y
rojo, y amarillo también en el ano. Y su
cabeza cae por sí sola y rueda
como una pelota de
patada en patada y una
mueca de su boca
constantemente rehecha. Como caen
dentro de mi alma, *de roca en roca*
los hombres que conocí, y todos los
rasgos y los gestos se confunden en
un montón de ropa sucia, cascada
informe de
                piernas, brazos, ojos, ojos
cayendo de roca en roca o
esparcidos por el suelo.

                            La marea de los hombres
                            /se seca aquí.

                        «De cada lado de la verja
                        /sendas columnas estaban
                        [adornadas con una Estatua
de la Locura, personificada por una cabeza con
una mueca (a la manera como un elefante esculpido
podría adornar hoy la puerta de los Zoos). Según
Robert Redd («Bedlam on the Jacobean Stage») la visita
de esa casa de locos era una de las grandes diversiones
dominicales de los londinenses. Los visitantes pasaban
por esas verjas llamadas «penny gates» porque
la entrada costaba muy poco, muy poco. El visitante des-
                        [pués de haber depositado su
espada en el vestuario, donde quedaba hasta su vuelta,
    /tenía derecho
a recorrer todas las divisiones, las celdas, hablar con los enfermos, y burlarse de ellos. A
cambio de sus agudezas dábales
en ocasiones algo de comer, o bien les

hacía beber alcohol para
estimularles a seguir divirtiéndole.
                                    Un grabado
de Hogarth muestra a un libertino terminando
su carrera de vicio encadenado
en Bedlam en una celda miserable en donde
las damas visitantes le contemplan con
una mezcla de curiosidad y desprecio».

                            Daniel   Hactuc-
                            ke, / «Chapter
                            in the His-
tory of the Insane in the British Islands» y
el mar se seca aquí, y la marea de los hombres
aquí, en esta cabeza tranquila y vacía. Y el rey
nórdico Forudj ordenó que nadie
más naciera en sus islas, y nadie nació aquí.
Y los he visto caer, y dentro de
los que caían, unos que sabían
hacerlo y otros no-éstos más aprisa y otros
cayendo en la inmoralidad y el pacto:
    / «Éstos sobrevivieron.» Que-
dó un idiota sentado
a las puertas de palacio relatando
confusamente una historia
llena de furia y de ruidos, pero
había también claridad en su calva, y
cuando callaba. Y en su
cabeza calva estaba escrito:
«La marea de los hombres se seca aquí.»

II

Y aún así, aún teniendo
sobre tu cuerpo muchos cuerpos, aún así,
en el suelo, tranquilo y
habiéndote por fin sabido, una vez más.

KONOSHIRO

¿nadie para leerlo?
                    quise decir tan sólo (ver también
poema final de «Teoría»)
                                que
«En estas ocasiones habla
                    Él»
                            pero una piedra
una piedra en su boca para hablar, un balbuceo
sordo detrás del sello y un
poco de saliva que cae, más allá del
burdo lenguaje de los personajes
de una novela indescifrable
se derrumba la pared, el sol.
                        Y aquel hombre qu esperó
toda su vida para oír
antes de perder la vida, oír
hablar a las bestias más
repugnantes, a las que nadie
había visto ni podía
siquiera imaginar y
                    «Lo oímos en la ópera, será
dentro de unos meses, todo lo más un año».

III

«En estas ocasiones», Ello o Él dice
lo que nadie dice, y cada vez
escasean más estos conciertos «la tercera

195

persona es la

                           insectos, babosas,
renacuajos negros
              e inmundos se deslizan sobre la ta-
                             [padera de
la alcantarilla, —y
             «Allí
está mi padre caído y muerto y nadie lo ve».
                              Un leproso
pasa su lengua por encima del
libro cerrado de Freud, su lengua, lenta, haciendo ruido contra las tapas rugosas.
                          y en las afueras
de la ciudad muy lejos
se oye al perro ladrar cada vez más
fuerte hasta que caigan los
muros de la ciudad, ladrar. «Enséñame tu
Libro, di la palabra y él
a los pies del rey, pero mirándolo
«El libro eres tú "pre-
gunta a cualquier moribundo su
nombre y el mío, y lo dirá, pero
no sabrá decirte quién
usó su cuerpo y su voz para
hablar y moverse y luego la arrojó como una cáscara.
   /El hombre de las
marionetas era
la verdadera marioneta, y ésta
vivía y vedla se aleja
                   sentada en el carromato
del ciro, moviendo las piernas". Y luego el moribundo
—el hombre de las marionetas— muere y la
marioneta lo arroja, vivo, a las basuras, vacío
de toda palabra y sin saber ya su nombre que
nunca supo. Y sin embargo yo
encontré en él.
Muerto, un Ben Vezi, encontré entre los muertos mi
                   Ben Garan-que

sigan hablando los
lausenhadors pues
            he muerto y sé mi nombre, sé
«faite un vers de dre nien» y
montado a caballo no puedo, pienso, ni puedo.
«Sin olvidar por ello los sufrimientos de»
«ni la forma de una niña ni...»
      Vallados en el jardín des Plantes, rejas que
      prohíben la fuente: «J'ai tué l'esprit»
                              «J'ai tué l'esprit»
he matado he
            matado matado
he matado a mi madre en el Jardín des Plantes.
No spupo decirme que Dios es mujer, ni qué dios
era yo. «En estas ocasiones»: fal-
taste a tu promesa y sin embargo
despliega, despliega
tu pobreza.
Tendido en el suelo como
una perla en la pocilga. Y delante de ti
avanzará siempre, más allá de tus ojos, una mujer vestida
de azul como el cielo apagando
las luces que ella misma encendió, más allá de tus ojos, en el
camino de las luces que se encienden y apagan.
Y esa mujer es Dios —«Et bien que
le soleil m'eclarait encore pendant un
certain temps, il ne le fit conti-
nuellement. Et lors qu'il se
cachait, a peina pouvais je com-
prendre mon propre travail»—Y lo mismo mi
Ben Vezi de entre los muertos que hablan: «I
thought I
            was Villon, Arnaut, but
just an instant and the flame was gone» y
sin embargo pese al titubeo
obsesionante de la antorcha que avanza
por delante de tus ojos a través de ellas
viste el rostro —tu rostro— esculpido en la montaña
—la montaña que tiene la forma de un rostro—

197

                                   y hallaste
el lugar exacto del callejón sin salida. Y he aquí que,
  /agachado,
orinas y mientras vienen a darte
su felicitación los hijos
                        y la madre del sol. Vallados
en el Jardín des Plantes, rejas que prohíben la fuente,
  /y sin embargo
una niña llegó con una sola pierna, marchando sobre
el estrecho reborde de piedra
hasta la fuente. Y de su frente
cayó largamente una lluvia de pelo, y sus
cabellos llovían y caían del cielo
y el viento no lograba detener la lluvia.
                                     Un ojo
un ojo perdido en el mar, pero
el león saltó contra la lluvia
                          que
caían sobre aquellos viejos durmiendo en las esquinas
                                              [junto
a una botella vacía al lado
                        de este papel y uno
de ellos se levantó seca suciedad, sudor seco y
                                         murmuró
—nadie le oyó—
            «¿Estoy muerto o no estoy muerto?
Ojo perdido en el mar pero
el león salta contra la lluvia,
no de pelo. No hay error
posible si todos, absolutamente
se han cometido. Uno
de los funcionarios que inspeccionaban las ruinas
vino a mí y me mostró un
pez muerto hallado bajo
                     las alfombras, uno más. Y el
                                              [pez
abrió los ojos cuando le hablé: «Vete,
tu tiempo ha terminado,
y una paloma sobre el altar».

198

Variante 1999.

Lui seul sait pleurer y mi
                                        cuerpo es un cáliz.

Lui seul sait pleurer y
no lloró, soy un cáliz, una
alegoría del Fuego como en Arcimboldo V
de piernas abiertas y
allí miró. Y en el agujero
oscuro estaba Él y le
devolvió la mirada.

LISTA DE MUERTOS: 5.000.000
                        /la tercera
parte de los hombres que cuelgan
de tu boca y luego caen. Cae también parte de tu
                                                                    [boca,
un trozo de labios rojos, en el suelo, en el polvo.
      /«Vengo del país
de los ladrones de palabras, de los hombres que es-
                                                                    [cuchan
sólo para poseer la palabra y hablan
para dominar y no saben leer». Y hay
un hombre que me espera en el sur. «Y algo
                                                    les dijiste?»
                                                    Pregunté
por qué los mudos no espantan, no les. Y
mi cabeza seccionada está allí, sobre el muelle,
      /junto a las llaves, a la izquier-
da de la lámpara. Y continué después de decirle
                                                                    [porque
la prueba del canto —l'apreuve d'amour—
la prueba del canto es no tocarlo, y
los muertos hablan a través de mí.

                                IV

Y así empieza, empezó la fiesta
de los muertos que viven, cogidos
del brazo y bailando y se besan.

Y yo les doy la palabra. A partir
del οντ½ς se cambian
de lugar todas
las personas del verbo maloliente. Y Dios
se suicidó al crear: en la piedra que coges
en la mano, en el agua que acumulas
en el hueco de la mano, Dios está muerto.
Siete
candeleros de plata brotan de mi ano
y el cadáver de Dios sale
flotando de un río que mana
de mi vagina: hendidura en el aire, a través de las
[cuales
pase tu mano. Y de entre
los excrementos nace un árbol,
de vida, verde, mojada ya por el rocío, y algo
canta allí entre mis heces, como crista. Ori-
nar sobre el muerto, en lugar de
«oscurecer los textos con filología»
y pasear muerto entre los muertos; mejor
pasearse vivo entre los muertos, y hablarles como
a iguales, y escribir
                        mientras bebe tu breve
orina ávidamente, pájaro,
lo que no puede absolutamente ser escrito.

V

Cuatro años sirviendo
de espectáculo a las almas más cansadas,
                                    y una cruz
en el agua en el lugar donde murió
Luis II de Baviera —y me bendigan
los muertos y los recuerdos—. Y de este
texto podrá nunca
escapar ave ni insecto.
Y lobos introducen lentas sus pezuñas cálidas
en el agua para devorar la cruz que indica

el lugar del recuerdo, lo que queda
del rey muerto. En el agua, recuerdo:
cruz en el agua.

Nada podría decirse pero
que su nombre, que la Letra que falta: Hen.
«Fine della parola, di tutto quella
che era da udire»: SOBRENADA (An-
gelus Bilesius, nada-
dor que surge del Ungrund, una cruz
se levanta sobre el Ungrundsprache, largo el viaje
[por mar.
Pájaro que ubica su vuelo en el cero absoluto:
¿no oyes como callan las voces?

«E l'uomo se ne va».

VI

Queda, detrás del cristal, una muñeca
en pie y un alfiler clavado
sobre tu piel
Y las suaves sombras de los animales
tirando de los carros, y el culo del Fou
mordido por un perro, y él no grita,
y sus ojos vendados, ciego como el perro que
ladrará hasta que caiga. «Caen los perros
sobre Acteón» y me convierto
en una sombra, arrojo lentamente
mi semen al abismo. Y las suaves sombras de animales
tirando de los carros hasta
el abismo o la luz. La huella
en el libro de los dientes del perro.
Y el alma cerrada con llave de plata.

La
estilográfica caída en el suelo, la
cara esculpida en la montaña que cae
silenciosamente y el loco y el perro al barranco y la mon-
[taña
silenciosamente se derrumba, humildemente y

el semen y el loco y el perro y la mirada
perpleja a la paz de los escombros

VII

«Pero sin embargo a un
muerto...»
        presagio...
... que vive en la montaña... lejos
está todo de mis ojos... deseo en la ingle, hecho piedra...
                            sangre que corre...
luz,... el fuego...
                    espuma...alrededor...ver-
guñenza de estar vivo, como un gusano...
                                ...las mandíbulas...
el sol...cenizas...
                «no espero que aparezcan
aves por la derecha...»: «eres hermosa
cuando hablas»...lo que pensar...beber la copa vacía...
    /lo que pensar...
un ladrón de noche recorre la ciudad...
        ...enloquece...
            ...gotas de mi sangre..en la copa, brillan,
                                            [secas.
                                    αμοσβη
                ...vendrá el fuego...
                        ...a analizar tu cuerpo...
arroja tus ojos en la
                    arena...
y que pasen sobre ellos las pezuñas
                            esclavos y leones... y
                            /cuerpos desnudos...
...que se disputan tus ojos... en la arena gladiadores...
α- - - (·) - - - (- - -) · (
χ (α)ς ·(συ) μβαλ (όντες
- -) ην - - δ'εχ (·) · (

- -) - - - - - ((y juntando

...pero a un muerto...

VIII

Y nadie quería, nadie
quería que escribiese, así que
murió cerrando
los ojos sobre un atardecer de Venecia, y nadie
quería que escribiese. «Accante alla colonna
di pietra liscia dove san Vio
incontra il Canal Grande questa
farfalla se n'e uscita per il foro del fumo»
en la Dogana, sabiendo
que nadie volverá a repetir la comedia del genio
«Io verrei spiagarla, io... io...»
Una cruz en el agua y
el agua lavando a los muertos —«Estoy
muerto o no estoy muerto»—
pasa ahora, Pound, por entre
el cuerpo azul de ilusión brillante
a la derecha, y a la izquierda, el reflejo
pardo que llega al mundo de Los Que
Aun Se Devoran En Silencio:
                                        ahora
puedes lanzar ya una mirada a las
«visiones del renacimiento» y a la vez saber,
saber por fin, firmemente saber
que has entrado, al fin, has puesto el pie
suave y desnudo en el Palacio Amarillo de los Muer-
                                                    [tos.

[MARCHO INCLINADO, MIRANDO AL SUELO]

*A Sidi Pepi ben Angelis, que me escondió un
secreto.*

Marcho inclinado, mirando al suelo
lleno de peces que sudan
como mi barriga
              llena de cerveza que sube y que baja
sobre la acera, al compás de mis pasos: elefante
mirando al suelo, grasa de ballena, rostro
reflejado en las risas de los hombres.
                        Casanova era así, de
                        [viejo,
me digo
        para no insultarme: apedreado
por niños al crepúsculo.
Marcho inclinado, mirando al suelo;
los muertos están boca abajo. Sin duda
moriré en la calle.
Entro en el bar y el cervecero
ya está, como siempre, la copa en la mano
anunciando mi muerte.

204

EL CANTO DE LO QUE REPTA

La que, después de muerta, se demora en morir, repta
la que tarda, simplemente, en morir repta
y deja un rastro de baba entre casas y hechos como
                                                    [signo
de la vida que arrastra; es
perezosa y lenta de vida de lo que repta. Y así
tu recuerdo en el fondo de mi alma repta
y su contacto de piel viscosa y muerta me
produce algo así como un escalofrío
algo como terror. Y también yo repto, me
arrastro entre loas vidrios dispersos de tu espejo, entre los
                                    [harapos de tii que aún quedan
absurdamente en el
cubo de la basura de mi memoria,
espectros en la casa abandonada
en la casa abandonada que yo soy. Y repto
al fondo de mí, como si fuera
yo mi recuerdo tan sólo, como si estuviera
dormido al fondo de mí, como una vivencia olvidada. Y
me descnvuelvo entre las ruinas somnolientas y a
                                                    [través
del palacio en el que no puedo entrar, como
una hábil serpiente. Me queda sólo la ebriedad
dolorosa que produce
la idea del suicidio; estoy a solas
con la idea del suicidio, con la idea de aplastarme como a
                                                    [un reptil.
Todo hombre es un rey ente almenas que sienten
todo hombre es castillo de una princesa muerta
todo hombre, una máscara rodeada de tenedores
y un cadáver que escupe la boca de un fauno.
Lloran mis ojos en la frente
mis enemigos han muerto,

sólo queda
la vergüenza de la vida.
De mi sólo queda la vida,
las manos que se mueven,
los ojos de la frente,
las lágrimas sin dueño:
mientras los hombres mueren
la barba crece.

        Guárdate, amor, de cruzar el río
que nos separa,
           la vida es sólo un árbol
un árbol
      que crece.
Crece el poema como un árbol
y entre sus ramas, como niebla densa,
alabando a la noche,
             mi padre
se ahorca.

[UN LOCO TOCADO DE LA MALDICIÓN DEL CIELO]

Un loco tocado de la maldición del cielo
canta humillado en una esquina
sus canciones hablan de ángeles y cosas
que cuestan la vida al ojo humano
la vida se pudre a sus pies como una rosa
y ya cerca de la tumba, pasa junto a él
una Princesa.

EL LOCO MIRANDO DESDE LA PUERTA
DEL JARDÍN

Hombre normal que por un momento
cruzas tu vida con la del esperpento
has de saber que no fue por matar al pelícano
sino por nada por lo que yazgo aquí entre otros se-
                                                    [pulcros
y que a nada sino al azar y a ninguna voluntad sagrada
de demonio o de dios debo mi ruina.

EL LOCO AL QUE LLAMAN EL REY

Bufón soy y mimo al hombre en esta escalera cerrada
con peces muertos en los peldaños
y una sirena ahogada en mi mano que enseño
mudo a los viandantes pidiendo
como el poeta limosna
mano de la asfixia que acaricia tu mano
en el umbral que me une al hombre
que pasa a la distancia de un corcel
y cándido sella el pacto
sin saber que naufraga en la página virgen
en el vértice de la línea, en la nada
cruel de la rosa demacrada
                              donde
ni estoy yo ni está el hombre.

[EN MI ALMA PODRIDA ATUFA EL HEDOR A TRIUNFO]

En mi alma podrida atufa el hedor a triunfo
la cabalgata de mi cuerpo en ruinas
a donde mis manos para mostrar la victoria
se agarran al poema y caen
y una vieja muestra su culo sonrosado
a la victoria
              pálida del papel en llamas,
desnudo, de rodillas, aterido de frío
en actitud de triunfo.

A MI MADRE
(REIVINDICACIÓN DE UNA HERMOSURA)

Escucha en las noches cómo se rasga la seda
y cae sin ruido la taza de té al suelo
como una magia
tú que sólo palabras dulces tienes para los muertos
y un manojo de flores llevas en la mano
para esperar a la Muerte
que cae de su corcel, herida
por un caballero que la apresa con sus labios brillantes
y llora por las noches pensando que le amabas,
y dice sal al jardín y contempla cómo caen las estrellas
y hablemos quedamente para que nadie nos escuche
ven, escúchame hablemos de nuestros muebles
tengo una rosa tatuada en la mejilla y un bastón con em-
                              [puñadura en forma de pato
y dicen que llueve por nosotros y que la nieve es nues-
                                                    [tra
y ahora que el poema expira
te digo como un niño, ven
he construido una diadema
(sal al jardín y verás cómo la noche nos envuelve).

HIMNO A SATÁN

Tú que eres tan sólo
una herida en la pared
y un rasguño en la frente
que induce suavemente
a la muerte.
Tú ayudas a los débiles
mejor que los cristianos
tú vienes de las estrellas
y odias esta tierra
donde moribundos descalzos
se dan la mano día tras día
buscando entre la mierda
la razón de su vida;
ya que nací del excremento
te amo
y amo posar sobre tus
manos delicadas mis heces
Tu símbolo era el ciervo
y el mío la luna
que la lluvia caiga sobre
nuestras faces
uniéndonos en un abrazo
silencioso y cruel en que
como el suicidio, sueño
sin ángeles ni mujeres
desnudo de todo
salvo de tu nombre
de tus besos en mi ano
y tus caricias en mi cabeza calva
rociaremos con vino, orina y
sangre las iglesias
regalo de los magos
y debajo del crucifijo
aullaremos.

EL LAMENTO DE JOSÉ DE ARIMATEA

No soporto la voz humana,
mujer, tapa los gritos del
mercado y que no vuelva
a nosotros la memoria del
hijo que nació de tu vientre.

No hay más corona de
espinas que los recuerdos
que se clavan en la carne
y hacen aullar como
aullaban
en el Gólgota los dos ladrones.
Mujer,
no te arrodilles más ante
tu hijo muerto.
                        Bésame en los labios
como nunca hiciste
y olvida el nombre
maldito
de Jesucristo.

        Así arderá tu cuerpo
y del Sabbath quedará
tan sólo una lágrima
y tu aullido.

ACERCA DEL CASO DREYFUSS SIN ZOLA
O LA CAUSALIDAD DIABÓLICA
EL FIN DE LA PSIQUIATRÍA

La locura se puede definir, muy brevemente, como una regresión al abismo de la visión o, en otras palabras, al cuerpo humano que ésta gobierna. En efecto, la zona occipital, que regula el desarrollo de la visión, controla, según mi hipótesis el cerebro, y el cerebro controla todo el cuerpo. De ahí que sea tan importante lo que Lacan minimizaba como «inconsciente escópico», y esa mirada a la que el dicho psicoanalista apodara «objeto a minúscula». Por el contrario, la mirada es un infinito. Contiene imágenes en forma de alucionaciones que son lo que Jung llamara «arquetipos» y Rascowski «visión prenatal». Ferenczi habló del inconsciente biológico: por muy increíble que parezca, ése está contenido en la mirada en forma de alucinaciones. La magia, el inconsciente antes de Freud, lo sabía: *«Fons oculus fulgur.»* Freud también decía que el inconsciente se crea a los cuatro o cinco años; en efecto, los niños padecen dichas alucinaciones de una forma natural: de ahí el retorno infantil al totemismo, del que hablara también el fundador del psicoanálisis.

Pero el cuerpo humano, que, salvo para los niños, es un secreto, contiene igualmente alucinaciones olfativas, aunque éstas no remitan a inconsciente metafísico o junguiano alguno, es decir, a inconsciente alguno de la especie o, en otras palabras, a su pasado, en el que los dioses están bajo la figura de tótems, pues no en vano la palabra «zodiaco» significa en griego animales. Dioses estos, pues, corporales, hijos del Sol y de la Tierra.

He aquí, por consiguiente, que el cuerpo contiene la locura y, como el único cuerpo entero que existe es el cuerpo infantil, es por tal motivo que la esquizofrenia tuvo por primer nombre *«demencia praecox»* o demencia traviesa. Respecto a la paranoia, su problemática es triple o, en otras palabras, quiero decir que existen tres tipos de paranoia, pues ya nos dijo Edwin Lemert que no existe la paranoia pura; uno de los tipos de paranoia, cuyo síndrome es el delirio de autorreferencia, nos reenvía al problema de que el psiquismo animal es colectivo, y ese es el magma alquímico, en cuyo seno se hunde tal género de paranoico. El otro género de paranoico es el que proyecta su agresividad, con frecuencia, sobre su mujer en el delirio de los celos. El tercer género de paranoico es el que, según ya dijo Edwin Lemert, tiene realmente perseguidores. Ése es el caso al que yo llamo el caso Jacobo Petrovich Goliardkin (el protagonista de *El doble* de F. N. Dostoyewski). Es un sujeto con frecuencia deforme, enano o simplemente raro, o tan oscuro como Dreyfuss, que es víctima de agresiones, humillaciones y vejaciones por parte de sus amigos o compañeros de oficina —o, a veces, de un portero, o sencillamente de un camarero—, y que para dar sentido estético a su vivencia se inventa a los masones, o a la C.I.A., metáforas que reflejan a tan sombríos compañeros.

Las otras locuras son frecuentemente producto de la psiquiatría: tal es el caso de las alucinaciones auditivas, que no existen ene stado natural alguno y que son producto de la persecución social o psiquiátrica que cuelga, como vulgarmente se dice, en lugar de explicar o aclarar. Pues cada ser humano puede ser en potencia un psiquiatra, con sólo prestarnos la ayuda de su espejo. Pasemos ahora al caso de Dreyfuss; el caso Dreyfuss, en verdad, fue, como el mío, un caso muy extraño. Ni yo ni él entendimos el origen de la persecución; su naturaleza, sin embargo, o su mecanismo puede definirse como el efecto «bola de nieve»: se empieza por una pequeña injusticia y se sigue por otra y por otra más aún hasta llegar a la injusticia mayor, la muerte. O bien como en el *lynch* empieza uno y continúan todos. Así, yo he sido la diversión de España durante mucho tiempo y, a la menor tentativa de defenderme, encontraba la muerte, primero en Palma de Mallorca en forma de una navaja y, luego, en el manicomio del Alonso Vega (Madrid) en forma de una jeringa de estricnina; pero todo por un motivo muy oscuro; no sé si por mi obsesión por el proletariado, nacida en la cuna de la muerte, o bien, por miedo a que desvelara los secretos de un golpe de Estado en que fui utilizado como un muñeco, y en el que los militares tuvieron, primero, la cortesía de apodarme «Cervantes», para llamarme después, en el juicio, «el escritorzuelo». Pero no son sólo los militares los que me usaron; en España me ha usado hasta el portero para ganarse una lotería que de todos depende, porque el psiquismo animal es colectivo, y éste es el motivo de que el chivo expiatorio regale gratuitamente la suerte, en un sacrificio ritual en pleno siglo xx, en nombre de un dios que ya no brilla, sino que cae al suelo herido por las flechas de todos. Ese dios al que todos odian por una castidad que ha convertido al español en un mulo y en una mala bestia. Al parecer toda España ha rodeado amorosamente a la muerte entre sus brazos, y la prefieren al sexo y a la vida.

Que ella les dé al fin su último beso en la pradera célebre del uno de mayo.

216

RÉQUIEM POR UN POETA

(Death's door. Sugerido por un dibujo de Blake.)

Qué es mi alma, preguntas
a una imagen atado.
Es un dios en la sombra
rezándole a la sombra.
Es quizá un esclavo
lamiendo con su lengua las sobras de la vida.
La soga que en el cuello
llevábamos atada fácil es desatarla,
por cuanto es ilusión sólo, lo mismo que la vida,
que el dolor y la muerte y el sueño del dinero.
La vejez dicen sólo responde a tu pregunta.
Una piel arrugada y un hombre al que avergüenza
mirarse al sediento espejo.
Un día moriré. Un día estaré solo,
un alce cabalgando en la calle, y el aire
será para mis ojos la señal de la huida.
Ya no serán manos mis manos,
ni un solo buen recuerdo
a la vida me ligará ya entonces.
Veré pasar un niño por la acera de espanto
y le preguntaré mi nombre si mañana renazco.

EDGARD ALLAN POE, O EL ROSTRO
DEL FASCISMO

Leí en un solo día una luz oscura
en páginas de Poe sobre un enano oscuro
que de muchos sorbía el rostro y el recuerdo
y era de generales esclavo y la peonza.
En un baile de muertos conocí al verdadero
y gran golpe de Estado. Caían como moscas
a mis pies generales,
y unos al despedirse la mano alzaban
como para decir adiós y se reían
de ellos las vírgenes y efebos
y en los bares caía la sangre, única gloria
de aquel por el alcohol llamado
a luchar por un país más puro.
Caída hoy está también mi mano,
y muerta la farándula
quedan dos huesos de pollo en la mano.
No sé quién soy, ni quién los militares,
y en mi cabeza un huevo
ha puesto una gallina
blanca como Jesús y limpia como el miedo,
como el sudor de espanto que denunciarles fuera
entre aroma de alcohol y viento de cerveza,
símbolo y prez de lo que mi vida fuera
antes de que llegaran los militares,
para limpiar España y barrer mi existencia
que para los camareros un peligro fuera.
Hoy día no me encuentro y soy como perdido
y temo sobre todo a la bandera.
Que un día de mi mano comerán ya las moscas
y seré sólo espectro en la acera humillado
clamando día y noche contra el golpe de Estado.
Bajarán las palomas y entrarán en las casas

si un día como el viento llegan esos soldados.
Y estaremos desnudos como un blanco disparo
para saber que España no quiere más que vivir si puede
y si no llorar o beber en la barra
sedientos de la frente en la blanca marea.

Y quedó sólo hoy, de aquel 23 F.,
la espuma de la boca y de la noche.

ETA MILITARRA

Tengo la costumbre de matar en la mano
en la mano y en los pies que se mueven
lentamente bajo la cúpula del cuerpo.
Hábil como un espectro recorro la ciudad
borracho como un vivo, sereno como un muerto,
y me asombro ante aquellos que viven.
Y me escitan sus labios sonrosados
cuando dicen «ven»
«ven a matarme ya que soy un espíritu».

APARICIÓN

Nuncio que entras abriendo las paredes de mi cuarto
¿eres del hombre o eres de la nada?
Yo sólo puedo el evangelio decirte
de la vida, decirte
si has caído no te levantes más
y besa el sacro suelo
y si eres hombres, escucha los lamentos del esclavo
que piden vivir y que reclaman
con dulces sones la limosna
de la vida en la habitación en donde mi alma
se retuerce feroz como una serpiente
y pide a los durmientes que la vean
despierta para siempre y aterida
con pájaros que vuelan sobre ella
y el ladrido de un can que la despierta
y dice: mira, hombre caído, mira a la mañana
que otra vez se levanta para continuar la tortura
por mucho que tu alma exhale excrementos
que la rosa simulan y la vida
entre las paredes feroces de este cuarto
que son como la celda del condenado a muerte
con días que reviven la sentencia
y di: ¿eres del hombre o eres de la nada?
yo sólo puedo mi evangelio decirte
si has caído nadie te levantará ahora
eres sombra y nada
y boca que pisotean los hombres
y una hez en las manos
ofrecida a los hombres y a los lobos
cuyos dientes asoman, cercenando el poema
cuando alguien entra en la habitación a oscuras.

TÁNGER

(Café Bar Tingis, Zocco Chicco.)

Morir en un water de Tánger
con mi cuerpo besando el suelo
fin del poema y verdad de mi existencia
donde las águilas entran a través de las ventanas del sol
y los ángeles hacen llamear sus espadas en la puerta del
retrete
donde la mierda habló de Dios
deshaciéndose
poco a poco entre las manos
en el acto de la lectura
y una paloma
sobre cuerpos nudos de árabes
caminando, bárbaros, sobre la lluvia
y sobre la tumba del poema implantando sus espadas
y lamuerte.

Y un niño harapiento lamió mis manos
y mi cuello, y me dijo «Muere,
es hermosa ciudad para morir»
verás cómo los pájaros se arrastran y escupen agua por las
[narices
cuando mueras
y cómo Filis me abraza y la ciudad se rinde
ante el asedio de los condenados
prefiero vivir al asedio de nadie
con una marca de mierda en la frente.

LA MONJA ATEA

Las monjas adoran a su Dios que no existe
mientras el Papa aprieta el gatillo
y dice Dios no existe
es una imaginación de la Iglesia
que está muriendo poco a poco
los ateos lloran al pie de una estatua.
Y el mundo dice Dios no existe
es una imaginación del Papa
mientras los ateos
lloran y lloran por su belleza perdida
y Dios ya no existe
está llorando en el infierno.

Ésta es la estatua entera de la nada.

PETER PUNK

Peter Punk es el amor y Campanilla su princesa
en el cielo están buscando el secreto de la nada
todos los Niños Extraviados.
Peter Punk es el amor y Campanilla su princesa
Garfio busca en vano el secreto de su mano
y Campanilla llora al pie del Árbol Extraviado
adónde las sirenas y adónde los enanos
Peter Punk intenta en vano su amor explicar,
en una playa desierta Campanilla lo dejó.

LO QUE STEPHAN MALLARMÉ
QUISO DECIR EN SUS POEMAS

Quiso el viejo decir cuando ya la última lámpara
en el cuarto estaba apagada
y el sol no nos veía, la sierpe lanzada
con las heces del día al pozo del recuerdo
al sueño que todo lo borra, al sueño
quiso decir el viejo que las leyes
del amor no son las leyes de la nada
y que sólo abrazados a un esqueleto en el mundo vacío
sabremos como siempre que el amor es nada,
y que la nada
siendo así algo que con el amor y la vida
fatalmente rompe, quiere una ascesis
y es por ello que una cruz en los ojos, y un
escorpión en el falo representan al poeta
en brazos de la nada, de la nada henchido
diciendo que ni siquiera Dios es superior al poema.

[EN MIS MANOS ACOJO LOS EXCREMENTOS]

En mis manos acojo los excrementos
formando con ellos poemas
cerca estoy ya de donde sopla el viento*
y odres de vino de mi nombre están llenas.

Mi ano es todo lo profundo
solo construye un mundo
un niño baila en el dibujo
como la rosa de lo inmundo.

(I) Variante: fiel a la rosa de lo inmundo

Los labios de los hombres
dicen que la mujer es bella
y mienten.
Sin embargo tú eres bella como de la mujer
dicen los libros y las leyendas
y pensé en besarte al amparo de la muerte
única segura compañera
y eyaculé sangre pensando que me amabas
Hoy de aquella Zaragoza que la amistad nombro
sólo queda
sobre la mesa un ejemplar sin vida
de «vida ávida» de Ángel Guinda
y unas voces que oigo en las pesadillas.

ALBA

Dejé la senhal entre dos árboles
un collar en el cuello blanco de una paloma
los pájaros no se acercaban
a hundir su pico en su cráneo
débil de muerta paloma
cuando una tarde de otoño
en que sin tumba el viento sepultaba a las hojas
todas ellas amarillas
cuatro niños de su bosque
salieron a toda prisa
y un incendio en los dos ojos
que a los hombres daba miedo
creían que en el collar
oro y plata se escondían
más acercándose al árbol
los cuatro al suelo cayeron
debajo de mi senhal
que en el árbol aún pendía.
Hoy mi ama ya se acerca
pero al ver los niños muertos
huye corriendo y se esconde
y queda en el árbol sólo
mi senhal de que estoy solo
solo unido a una paloma
sin mujeres sin amigos
y la senhal balanceándose
hasta que el viento la borre
aunque se acoja a estos versos
y aun cuando muerto el poema
después de él salga la luna.

ARS MAGNA

para Clemen, con un escalofrío

Qué es la magia, preguntas
en una habitación a oscuras.
Qué es la nada, preguntas,
saliendo de la habitación.
Y qué es un hombre saliendo de la nada
y volviendo solo a la habitación.

LA NOCHE DE LOS CONJURADOS

La noche de los conjurados
todos los bailarines comprendieron el día y la hora
ya que el por qué estaba de sobra justificado
en la inmensa cuantía del sufrimiento humano.
Había un bailarín en cada puerta, la noche de los baila-
[rines,
vestido de blanco como las máscaras
y con un trozo de tela negro en los 2 codos.
Camino del Grand Zocco donde danzaba
pierna tras pierna, ojo tras ojo,
para todos nosotros el gran bailarín,
el que tenía la marca negra sólo en un codo,
pasamos por el templo donde desollaban a las vírgenes,
y rozamos el jardín donde cantaban los ancianos mori-
[bundos.
Llovía y a partir del atardecer que siguió a la noche
de los conjurados, el mundo no fue ya sino cadáveres y
[lluvia
y voces de viejas damas que hablaban en las sombras.

TERRITORIO DEL CIELO

al misterio de mi madre

Ha nevado lentamente y mi mano
escribe sobre la nieve
muy pronto se deshará mi figura
cuando el sol queme la nieve
y viole
mi blanco sudario con su espuma.
Qué lejos el mar de nosotros
qué lejos el ser.
Como un fantasma blanco en la noche
la mano de mi madre me llama
al misterio que el hombre desprecia
al misterio de la muerte.
Qué importa si eres feliz si tu mano ya no es mi mano
si no bebes ni gimes, porque sólo de la materia del dolor
puede nacer la dicha:
                    ¿estás triste en el cielo?
¿Qué sentido tiene decir eso?
Pero tiene más sentido tu sombra en el bosque
que estos tristes hombres que recuerdan al zorro,
al lobo y a la aspa
y están condenados para siempre en la campana de la
                                            [lluvia
y son mártires de la lluvia,
y tienen los ojos cerrados
para no ver detrás del cristal, cómo
en los bosques del estiércol
desfilan lentos los sapos de los muertos.

SÚCUBO

Y me encontré una mujer frente a mí,
y le dije: no tengo pelo,
soy un pez. Y ella me dijo:
conocerás el mar, esa ancha tumba
en que nada el Kraken
y se pierden los barcos.
Y era como descubrir en un barco, de noche
a la luz de las estrellas
que está uno abrazado al diablo,
a esa mujer, esa limosna
que sólo él puede ofrecerme
y cuya mano acaricia torpemente
las cuencas vacías de mis ojos
en ese albañal que tengo por juguete,
y por figura; y le diré entonces:
he tenido comercio con la nada.

LECTURA

Yo no hablo del sol, sino de la luna
que ilumina eternamente este poema
en donde una manada de niños corre perseguida por los
[lobos
y el verso entona un himno al pus
Oh amor impuro! Amor de las sílabas y de las letras
que destruyen el mundo, que lo alivian
de ser cierto, de estar ahí para nada,
como un arroyo
que no refleja mi imagen,
espejo del vampiro
de aquel que, desde la página
va a chupar tu sangre, lector
y convertirla en lágrimas y en nada:
y a hacerte comulgar con el acero.

APARECE NUEVAMENTE MI MADRE,
DISFRAZADA DE BLANCANIEVES

La acetonia y la lamprea se disputan en el reino del ser
en el oscuro juguete para el niño muerto
en la pecera donde una vez lo dije
juego con mis amigos.
En el bosque era un príncipe
buscando
el sepulcro de cristal y de cuarzo
de Blancanieves: que su llanto
nos consuele, antes del Beso
antes del beso final de dos cadáveres
sobre la página en blanco,
sobre la caída de la página
que finalmente no puede caer
sino sobre sí misma: y
este es el misterio de Blancanieves
que se corrían los niños gordezuelos de boca en boca
besándose.

[YO FRANÇOIS VILLON]

Yo François Villon, a los cincuenta y un años
gordo y corpulento, de labios color ceniza
y mejillas que el vino amoratara,
a una cuerda ahorcado
lo sé todo acerca del pecado.
Yo, François Villon,
a una cuerda pendido
me balanceo lento, habiendo sido
peor que Judas, quien también murió ahorcado.
Las viejas se estremecen al oír mis hazañas
pues no tuve respeto para la vida humana.
Que el viento me mueva, ya oigo cerca las voces
de aquellos que mandé a freír monas.
Me esperan en el infierno
y alargan las manos
porque se ha corrido allí, del Leteo al Cocyto
¡que al fin Villon había muerto ahorcado!
Ya la luna aparece, e ilumina la horca
dando a mi rostro el color de la sangre
yo, que hice mal sabedor de que lo hacía
hasta que por fin he muerto ahorcado.
Ya los lobos ladran en torno al patíbulo
y los niños gritan, parecidos a ratas:
¡Villon ha muerto ahorcado!
Viejas que me insultabais en la carretera oscura:
¡sabed que el semen moja mis caderas
y es fresco y sabroso el semen del ahorcado!
Que mis dientes sirvan
de jugo en tu caldera
bruja de los límites, tú a quien admiro
sabedora de embrujos, de filtros y de hechizos
más poderosos que la fe y que los apóstoles
de quienes se burló el Mago, más apta que ellos

para conocer el dolor
¡de este que un sepulcro merece!
Y que el viento diga, al amanecer, mañana
vanamente a ranas y a gusanos
Villon se ha hecho al fin célebre
pues al fin una horca dibuja su figura
¡Villon ha muerto ahorcado!
Y que de mi mano ajada caiga la rosa
que mis dientes estrujaron
pues ella supo mis crímenes
y fue mi confidente
y dígalo ella al mundo, cayendo sobre el suelo
¡Villon ha muerto ahorcado!
Pronto vendrá la canalla
a hozar en mi tumba
y orinarán encima, y los amantes
harán seguro el amor sobre mis huesos
y será la nada mi más escueto premio
para que ella lo diga,
no sé si nada o rosa:
¡Villon ha muerto ahorcado!
Sabrán de mí los niños
de edades venideras
como de un gran pecador
y asustados correrán a esconderse
bajo las sábanas cuando sus madres
le digan: «Cuidado ahí viene.»
Y esa será la fama de Villon, el Ahorcado.
Y será tal mi fama que prefiero el olvido
porque un día, mañana
de ese futuro que el hedor hace
parecerse al recuerdo, una mano
dejará caer, al oír mi nombre
el fruto del culo, el excremento
y mi vida, y mi carne, y todos mis escritos
¡promesa serán sólo para las moscas!

[HAY RESTOS DE MI FIGURA]

Hay restos de mi figura y ladra un perro.
Me estremece el espejo: la persona, la máscara
es ya máscara de nada.
Como un yelmo en la noche antigua
una armadura sin nadie
así es mi yo un andrajo al que viste un nombre.
Dime ahora, payo al que llaman España
si ha valido la pena destruirme
bañando con tu inmundo esperma mi figura.
Tus ángeles orinan sobre mí.
San Pedro y San Rafael
en una esquina comentan
mientras avanzo borracho
sobre esa piedra, payo,
que llaman España.

SCARDANELLI
(Romance)

El topo, la rata,
enemigo del hombre
hicieron este nido
aquí, entre mis cabellos.
Más grande que mi mano es la rata
y lo que ella dibuja
la rata lo deshace.
Manchado estoy de lodo,
como aquel que salido
del cementerio hubiera
a buscar a los hombres,
descuartizado y pálido:
y me siguen las ratas
chillando y chillando
y sobre la tierra un rastro
eterno de gusanos
es mi espuma y mi nombre.
Y en la casa deshabitada
el viento lo repite: fuiste,
ya no eres del hombre:
más lo que la rata hizo
la rata lo deshaga: una
alcahueta cuenta
a los hombres mi vida:
que el aire la deshaga
que no sabe mi nombre:
lo que sabe la rata
no lo sabe el hombre.

Índice

241

Colección Letras Hispánicas

DE PRÓXIMA APARICIÓN